A VELHICE CHEGA DEMASIADO CEDO A SABEDORIA, DEMASIADO TARDE

Conselhos para viver com mais vitalidade, confiança e coragem

GORDON LIVINGSTON

A VELHICE CHEGA DEMASIADO CEDO A SABEDORIA, DEMASIADO TARDE

Conselhos para viver com mais vitalidade, confiança e coragem

PREFÁCIO DE ELIZABETH EDWARDS

Tradução de
Cristina Lourenço

EDITORIAL PRESENÇA

FICHA TÉCNICA

Título original: *Too Soon Old, Too Late Smart: Thirty True Things You Need to Know Now*
Autor: *Gordon Livingston*
Copyright: © 2004 by Gordon Livingston
Prefácio: © 2004 by Elizabeth Edwards
Tradução: © Editorial Presença, Lisboa, 2010
Tradução: *Cristina Lourenço*
Capa: *Ana Espadinha/Editorial Presença*
Composição, impressão e acabamento: *Multitipo — Artes Gráficas, Lda.*
1.ª edição, Lisboa, Fevereiro, 2010
Depósito legal n.º 302 991/09

Índice

Prefácio

de Elizabeth Edwards

Ao longo dos últimos oito anos, Gordon Livingston foi uma das pessoas mais importantes na minha vida — e contudo vi-o apenas uma vez. Nenhum de nós é jovem, mas utilizamos a forma de comunicação dos jovens: conhecemo-nos na Internet, numa comunidade *online* de pais enlutados. O pequeno grupo de que Gordon fazia parte era exactamente aquilo de que eu precisava quando o meu filho morreu. Essas pessoas entendiam verdadeiramente o abismo para onde estávamos a cair, tentando — às vezes com pouca vontade — agarrar-nos e travar a queda.

Não há palavras para explicar o que significou o apoio firme de Gordon nesses dias. A verdade tão crua quanto incompreensível, mesmo para nós que nos encontrávamos a meio do abismo, era que Gordon tinha feito duas vezes aquela queda. Eu tive a sorte de conseguir agarrar-me a Gordon Livingston, à sua frontalidade crua e à sua compaixão calorosa. E persuadida de que ele era o que dizia, nunca Gordon pregou nem julgou. Iluminou o local onde me encontrava para eu poder ver-me melhor e apreender o mundo em torno de mim, e a seguir pegou nessa luz e levantou-a para eu poder ver os apoios para os pés e as reentrâncias de que iria precisar para recuperar uma existência produtiva.

Os anos ensinaram-me uma coisa sobre Gordon: ele transmite uma sabedoria maior do que aquela que a sua extraordinária vida lhe proporcionou. Esta sabedoria ensina-nos que não importa que caiamos no abismo, como aconteceu a ambos, ou no País das Maravilhas, como Alice quando diz: «Sou demasiado pequena, sou demasiado grande, nada é o que devia ser.» Este livro oferece a cada leitor uma vista panorâmica que eu tive a sorte de contemplar nos últimos oito anos. É um livro em que devemos pegar sempre que precisarmos de conselhos avisados. Ainda hoje sinto às vezes a falta de ouvir esta voz alternadamente severa e tranquilizadora, cheia de esperança mas reticente em pronunciar certezas. Estendo a mão para a pasta no meu escritório etiquetada «Gordon»: um conjunto dos seus *e-mails* e mensagens. Pois ninguém melhor que ele sabe o quanto a vida fará de nós o que quiser e que só nos resta estarmos preparados para a viagem turbulenta. Ele escreveu-me um dia: «Só sei o que sinto e o que espero», um belo exemplo da sua forma de se expressar, sem ênfase. Ele parece também saber aquilo que sinto e espero e aquilo que o leitor sente e espera, e quais desses sentimentos são sinceros e que esperanças são atingíveis. Gordon, que também é piloto, continuou: «Espero que ao fazer o indicador de velocidade subir até aos cem e ao puxar para trás a *manche* o aparelho levante voo. Já me explicaram uma centena de vezes a física em jogo. Bernoulli esteve correcto por acaso. Mas ainda parece um milagre.» E estas palavras soam verdadeiras, porque, apesar da sua experiência, Gordon conseguiu de alguma forma manter a fé dos inocentes, dos não iniciados.

Ao ler estas páginas, recordei-me do anúncio de uma série televisiva dedicada ao desenvolvimento pessoal: «Os seus amigos não vão dizer-lhe... nós, sim, porque não somos seus amigos.» Bem, talvez seja isso que fazem os verdadeiros amigos: enunciam as verdades difíceis de ouvir, mas indispensáveis para nos tornarmos mais fortes, melhores, mais generosos, mais corajosos, mais atentos. Pode não ser sempre fácil ouvir aquilo que Gordon tem a dizer. Ele arranca-nos da poltrona onde esperávamos ficar sentados a ver televisão até as luzes se apagarem — para nosso próprio bem, claro. Ao mesmo tempo que nos chama a atenção para o pouco controlo que temos sobre as nossas vidas, lembra-nos que nunca somos despojados de escolhas. Tal como um pai avisado, empurra-nos na direcção certa... com mãos de veludo.

Gordon e eu vimos de mundos diferentes, e em muitas coisas temos perspectivas divergentes. Mesmo quando discordamos, como acontece por vezes — até em algumas questões abordadas nestes ensaios —, aprecio a sua forma de tentar convencer sem agressividade nem indelicadeza, coisas tão frequentes quando discutimos com os nossos contemporâneos. E, para meu desgosto, quando discordamos é sempre ele quem apresenta o melhor argumento para apoiar as suas opiniões.

Foi um prazer ter a oportunidade de escrever este prefácio, de apresentar Gordon Livingston àqueles que ainda não conhecem as suas qualidades do espírito e do coração. E, acima de tudo, fiquei grata pela oportunidade de repetir a Gordon as palavras do seu filho Lucas, que aos seis anos aguardava a morte depois de a medula óssea que Gordon havia doado não ter conseguido produzir o milagre médico que ambos mereciam: «Adoro a tua voz.»

Defensora empenhada dos direitos das crianças e advogada bem-sucedida, ELI-ZABETH EDWARDS tem tido um papel activo em várias organizações sociais e de beneficência, incluindo o March of Dimes, o Board of Visitors da Universidade da Carolina do Norte, Books for Kids e a Fundação Wade Edwards. É casada com John Edwards, de quem tem quatro filhos: Wade, que morreu em 1996, Cate, Emma Claire e Jack.

1

Se o mapa não está de acordo com o terreno, o mapa está errado

Há muito tempo, jovem tenente da 82.ª Divisão Aerotransportada, eu tentava orientar-me numa missão de treino em Fort Bragg, Carolina do Norte. Ao estudar um mapa, o meu sargento instrutor, que vira passar muitos oficiais subalternos, aproximou-se. «Já percebeu onde estamos, tenente?», perguntou. «Bem, segundo o mapa devia haver uma colina aqui, mas não a vejo», respondi. «Meu tenente», disse ele, «se o terreno não corresponde ao mapa, é o mapa que está errado.» Compreendi imediatamente que tinha acabado de ouvir uma verdade profunda.

Passei muitos anos a ouvir as pessoas falarem da sua vida, particularmente de todas as formas como ela pode correr mal. Aprendi que a nossa passagem pela vida consiste em tentar pôr os nossos mapas mentais conformes ao terreno onde caminhamos. Idealmente, esse processo ocorre à medida que crescemos. Os nossos pais ensinam-nos, principalmente através de exemplos, aquilo que aprenderam. Infelizmente, é raro sermos receptivos às suas lições. E, muitas vezes, as vidas dos nossos pais sugerem-nos que eles têm poucas coisas úteis a transmitir, de forma que muito do que sabemos nos chega através do frequentemente doloroso processo de tentativa e erro.

Para tomar o exemplo de uma tarefa importante nas nossas vidas, para a qual a maior parte de nós precisava de algumas instruções, podemos considerar a escolha (e manutenção) de um/uma companheiro/a. O facto de mais de metade dos casamentos terminarem em divórcio indica que colectivamente não somos muito bons nesta tarefa. Quando olhamos para o(s) relacionamento(s) dos nossos pais, normalmente não ficamos tranquilos. Acho que poucas pessoas se sentiriam satisfeitas com aquilo que viram nas suas famílias de origem, mesmo quando os casamentos dos pais duraram décadas. Mais frequentemente, aqueles cujos pais ainda estão juntos descrevem-nos como tendo uma vida aborrecida ou conflituosa que faz sentido economicamente mas à qual falta aquilo que poderíamos descrever como a pimenta necessária à vida ou plenitude afectiva.

É impossível prever aquilo que alguém será dentro de cinco anos, e muito menos cinquenta, e se vamos continuar a sentir amor por essa pessoa. Portanto, temos de aceitar a evolução actual da nossa sociedade rumo a uma espécie de monogamia em série, um reconhecimento de que as pessoas mudam ao longo do tempo e que é ingenuidade esperar que o amor da nossa juventude se aguente. O problema é que a monogamia em série não é um modelo muito bom para educar crianças, uma vez que não proporciona a estabilidade e a segurança de que as crianças precisam para começarem a construir os seus mapas sobre o funcionamento do mundo.

Então do que precisamos exactamente para poder decidir se alguém é um candidato adequado para um compromisso a longo prazo? O mais simples, para começar este processo de rastreio, é identificar o tipo de personalidade que manifestamente *não* nos convém. Para tal, temos de saber algo sobre a tipologia humana.

Estamos habituados a pensar no carácter de forma bastante superficial. O comentário «ele tem muita personalidade» descreve normalmente alguém divertido ou cativante. De facto, a definição formal de personalidade inclui os nossos modos de pensar, de sentir e de interagir com os outros. Compreendemos que as pessoas diferem em determinadas características, como, entre outras, a introversão, o gosto pelo pormenor, a tolerância ao tédio, a vontade de ser útil, a determinação. O que a maioria das pessoas não consegue perceber, todavia, é que as qualidades que valorizamos — a bondade, a tolerância, a capacidade de compromisso — não são distribuídas aleatoriamente. Tendem a existir como constelações de «características» reconhecíveis e razoavelmente estáveis ao longo do tempo.

Da mesma forma, os atributos de carácter menos desejáveis, como a impulsividade, o egocentrismo, a tendência para a irritação, aglomeram-se muitas vezes de formas discerníveis. Muita da nossa dificuldade em desenvolver e manter relacionamentos pessoais reside na nossa incapacidade de identificar em nós mesmos, bem como noutras pessoas, essas características de personalidade que tornam alguém um pobre candidato para uma relação profunda.

Os psiquiatras deram-se ao trabalho de categorizar transtornos de personalidade. Muitas vezes penso que esta secção do manual de diagnóstico devia ser intitulada «Pessoas a evitar». Os muitos rótulos aqui contidos — histriónico, narcisista, dependente, *borderline*, e assim por diante — formam um catálogo de pessoas desagradáveis: desconfiadas, egoístas, imprevisíveis, exploradoras. Foi em relação a estas pessoas que a sua mãe o avisou. (Infelizmente, por vezes, elas são a sua mãe.) Raramente se encontram todas estas características numa só pessoa, mas saber como reconhecê-las permitiria poupar-lhe muitos desgostos.

Igualmente útil, penso, seria um manual a descrever as qualidades a desenvolvermos em nós próprios e a procurarmos nos nossos amigos e amantes. No cimo da lista figuraria a *bondade*, uma vontade de se dar ao outro. Esta desejável virtude rege todas as outras e inclui a capacidade de sentir empatia e amor. Como outras formas de arte, pode parecer difícil defini-la, mas, quando estamos na sua presença, sentimo-la.

Este é o mapa que queremos construir nas nossas cabeças: um guia fiável que nos permita evitar aqueles que não são dignos do nosso tempo e da nossa confiança e abraçar aqueles que o são. Sentirmo-nos tristes, coléricos, traídos, surpreendidos e desorientados é um dos sinais mais reveladores de um erro de direcção nos caminhos que traçámos nos nossos mapas e que têm de ser redefinidos. Estas emoções revelam a necessidade de reconsiderar o nosso instrumento mental de navegação e de procurar as formas de corrigi-lo. O risco é cairmos nos esquemas repetitivos, seguindo o exemplo daqueles que não aproveitam o que aprenderam, o único consolo para a nossa experiência dolorosa.

2

Somos aquilo que fazemos

Os doentes vêm muitas vezes pedir-me medicamentos. Estão fartos do seu humor triste, da fadiga e de não se interessarem por coisas que anteriormente lhes davam prazer. Têm dificuldade em dormir ou dormem o tempo todo; perderam o apetite ou passam o tempo a comer. Sentem-se irritadiços e com problemas de memória. Muitas vezes desejavam estar mortos. Têm dificuldade em lembrar-se do que é ser feliz.

Ouço as suas histórias. Cada uma é, obviamente, diferente, mas há certos temas recorrentes: outras pessoas nas suas famílias tiveram vidas marcadas pelo desencorajamento; as relações de casal são conflituosas ou «mornas», desprovidas de paixão ou intimidade; o seu quotidiano é rotineiro, não estão satisfeitos no trabalho, têm poucos amigos e aborrecem-se bastante, sentem-se privados dos prazeres usufruídos por outros.

Eis o que lhes digo: *a boa notícia é que temos tratamentos eficazes para os sintomas da depressão; a má notícia é que nenhum medicamento vos fará felizes. A felicidade não é simplesmente a ausência do desespero. É um estado positivo no qual a existência tem significado e proporciona prazer.*

Portanto, a medicação por si só raramente é suficiente. É preciso também olhar para a forma como se vive por forma a fazer alterações. Estamos sempre a falar dos nossos desejos, das nossas intenções. Tratam-se de sonhos e de planos que pouco servem para mudar o nosso humor. Não somos o que pensamos, ou o que dizemos, ou como nos sentimos. *Somos aquilo que fazemos.* Inversamente, ao avaliar outras pessoas precisamos de prestar atenção não ao que elas prometem mas à forma como se comportam. Respeitar esta regra simples poderia reduzir bastante a dor e a incompreensão que infecta os relacionamentos humanos. «Quando tudo está dito e feito, mais é dito do que feito.» Estamos a afogar-nos em palavras, muitas das quais se revelam mentiras que dizemos a nós próprios ou aos outros. Quantas vezes temos de sentir-nos traídos e surpreendidos com a desconexão entre as palavras das pessoas e as suas acções antes de aprendermos a dar mais atenção às últimas do que às primeiras? Evitaríamos bastantes desgostos se levássemos em conta a seguinte realidade: *o comportamento passado é o melhor indicador do comportamento futuro.*

Woody Allen declarou: «Oitenta por cento da vida consiste em aparecermos.» A nossa coragem exprime-se nos inúmeros pequenos gestos com que cumprimos as nossas obrigações ou tentamos chegar a coisas novas que podem melhorar a nossa existência. Muitas pessoas têm medo de arriscar e preferem o insípido, o previsível e o repetitivo. Isso explica a enorme sensação de tédio que é característica da nossa época. As tentativas frenéticas para superar este *ennui* fazem-nos mergulhar numa busca de distracção e de estímulo que é, no fim, desprovida de significado. Nada é mais pesado que a resposta à pergunta: «Porquê?» Porque estamos aqui? Porque escolhemos as vidas que escolhemos? Porquê preocupar-nos? A desesperante resposta está contida num popular autocolante de pára-choques: «Que importa?»

Em geral, temos não aquilo que merecemos, mas aquilo para que nos preparámos. Perguntem a um batedor de basebol bem-sucedido o que pensa que vai acontecer quando entrar em campo e ouvirão algo como: «Vou mandar a bola para o centro da cidade!» Se disserem que os melhores batedores mandam a bola fora duas vezes em cada três, qualquer bom jogador irá dizer: «Sim, mas esta é a minha vez.»

Os três componentes da felicidade resumem-se assim: ter algo para fazer, alguém para amar e algo que aguardar com expectativa. Pense nisso. É difícil ser infeliz se tiver um trabalho útil, um bom relacionamento e a promessa de prazer. Uso o termo «trabalho» para abranger qualquer actividade, remunerada ou não, que nos dê uma sensação de importância pessoal. Se um passatempo o apaixonar e conferir sentido à sua vida, esse é o seu trabalho. É uma homenagem à diversidade da vida humana que as pessoas possam encontrar prazer e sentido ao serem medíocres no campo de golfe ou à mesa do brídege. Imagine os engarrafamentos se todos nos dirigíssemos para a mesma actividade.

Dá-se muita importância à presumível dificuldade em definir o «amor». Como a base do sentimento é misteriosa (porque amo esta pessoa e não outra?), presume-se que as palavras não possam abarcar o que significa amar outro. Que tal esta definição? *Amamos alguém quando as suas necessidades e desejos são tão importantes para nós como as nossas.* No melhor dos casos, evidentemente, a nossa preocupação com o bem-estar de outro *ultrapassa*, ou torna-se indistinguível, do que queremos para nós mesmos. Utilizo uma pergunta concreta para ajudar as pessoas a determinar se realmente amam alguém: «Levaria um tiro por essa pessoa?» Isto pode parecer uma coisa extrema, uma vez que poucos de nós são obrigados a enfrentar um tal sacrifício e ninguém pode dizer com certeza o que faria se o seu desejo de sobrevivência entrasse em conflito com o seu amor pelo outro. Mas o facto de imaginar a situação pode clarificar a natureza das nossas ligações.

São poucas as pessoas por que estaríamos prontos a morrer: os nossos filhos, certamente; o nosso cônjuge ou outra «pessoa amada», talvez. Mas, se não formos capazes de imaginar um tal sacrifício, como podemos fingir amar? Mais comummente, os sentimentos de amor, ou a sua ausência, exprimem-se nos pequenos gestos do quotidiano, assim como na quantidade e na qualidade de tempo que estamos dispostos a dar àqueles que amamos.

A questão é que o amor se manifesta ao nível do comportamento. Mais uma vez, a realidade da nossa personalidade e dos nossos sentimentos não se revela nas nossas promessas, mas nos nossos actos. Chamo constantemente a atenção dos meus doentes para isto. Pertencemos a uma espécie tagarela que adora utilizar palavras para explicar — e enganar. O pior, naturalmente, é enganarmo-nos a nós próprios.

Aquilo em que escolhemos acreditar está rigorosamente relacionado com necessidades sentidas: por exemplo, o sonho que todos acalentamos de encontrar o amor perfeito, de nos sentirmos protegidos pela confiança incondicional que só uma boa mãe pode oferecer. Este desejo torna-nos vulneráveis à pior forma de cegueira e desilusão, aquela que consiste em nos comprazermos na esperança de termos, finalmente, encontrado a pessoa que nos ama exactamente como somos.

Assim, quando alguém se presta a este papel e emprega as palavras que tanto ansiamos ouvir, não é de admirar que decidamos ignorar comportamentos incongruentes. Quando uma mulher me diz: «Ele não se comporta sempre bem, mas sei que me ama», costumo perguntar-lhe se é possível magoar intencionalmente alguém que amamos. Faríamos uma coisa dessas a nós próprios? Podemos amar o camião que nos atropela?

A outra coisa que o verdadeiro amor exige de nós é a coragem de nos tornarmos totalmente vulneráveis ao outro. Os riscos são evidentes. Quem não viu o seu coração destroçado por um erro na avaliação da pessoa em quem depositou essa confiança? Essas feridas alimentam o cinismo actual sobre o amor, bem como os jogos de rivalidade que nos impedem de termos fé uns nos outros.

Muitas pessoas alternam entre os dois extremos: a solidão e a cegueira. A melhor hipótese de encontrar a felicidade situa-se algures no meio. Afinal de contas, é ilusório esperar receber aquilo que não estamos dispostos a dar. É por isso que existe verdade no ditado que afirma que todos temos o cônjuge que merecemos, e por que razão a maioria das nossas queixas em relação aos outros reflectem as nossas limitações pessoais.

3

A lógica tem os seus limites

Na minha experiência, os terapeutas desperdiçam muito tempo a tentar convencer os seus doentes a abandonarem comportamentos que não fazem sentido, que estão mal, que parecem «ilógicos». Por exemplo, um homem regressa a casa do trabalho e a primeira coisa que sai da sua boca é: «Isto está tudo desarrumado.» Os filhos afastam-se e a mulher, que acabou de chegar a casa do *seu* trabalho e de ir buscar as crianças à creche, fica furiosa. A noite começa mal. Ao ouvir esta história, o terapeuta lembra que é previsivelmente má ideia criticar uma mulher cansada no final de um dia longo. Todos concordam que é uma observação correcta, mas o comportamento não muda, ou a crítica simplesmente migra para outra questão. As duas pessoas continuam descontentes uma com a outra e os conflitos entre elas permanecem.

O que está a acontecer aqui? Porque é que este homem parece não compreender que a crítica gera a cólera e a infelicidade? Esta pergunta não suscita uma resposta sistemática, bem entendido, mas confrontar sentimentos e atitudes arreigados e habituais com a lógica raramente funciona. As coisas que fazemos, os preconceitos que temos e os conflitos repetitivos que afligem as nossas vidas raramente são produtos do pensamento racional. Na verdade, *funcionamos principalmente em piloto automático*, fazendo hoje as mesmas coisas que não funcionaram ontem. Seria de esperar que o saber adquirido e a maturidade nos permitiriam antecipar as consequências desagradáveis de certos comportamentos e nos levasse a mudá-los. Quem já viu um jogador de golfe mediano em acção sabe que isto não é verdade.

De facto, por vezes parecemos estar tão presos aos padrões pouco eficazes da vida que eles parecem obedecer ao velho adágio militar: *se isso não funcionar, recomece.* As motivações e os hábitos subjacentes à maioria dos nossos comportamentos são raramente lógicos; somos com mais frequência movidos por impulsos, ideias preconcebidas e emoções dos quais temos apenas uma vaga consciência.

No exemplo acima, o homem que regressa a casa está frustrado com o seu trabalho ou com a longa viagem. Anseia ter algum controlo sobre a sua existência mas esta escapa-lhe de forma exasperante. Entra em casa na esperança de encontrar um refúgio, mas é confrontado com mais obrigações e desarrumação. Esta não é a vida que ele imaginara. De quem é a culpa?

O nosso comportamento é principalmente ditado pelos nossos sentimentos, muitas vezes pouco claros. Assim, para mudar, temos de ser capazes de identificar as nossas necessidades emocionais e encontrar formas de as satisfazer que não ofendam as pessoas de quem depende a nossa felicidade. Se quisermos, como a maioria quer, ser tratados com carinho e paciência, temos de cultivar essas qualidades em nós próprios. Sempre que falo com casais em conflito, acho impressionante a semelhança dos seus desejos: serem respeitados, serem ouvidos, sentir que são o centro da vida do parceiro. O que mais poderíamos desejar numa relação? Quando as pessoas falam de amor, não pensam em mais nada.

Dizer que temos de dar para receber, que colhemos o que semeamos, é uma banalidade. No entanto, o que poderia ser mais verdadeiro? Então porque é tão difícil? A resposta está nas nossas experiências passadas, como a maioria das explicações da nossa forma de agir.

Uma criança tem direito ao amor incondicional dos pais. Mas poucas das pessoas com quem falei sentem tê-lo recebido. Pelo contrário, os meus doentes recordam-se com frequência do peso que representou para eles a obrigação tácita de «deixar os pais orgulhosos» — ter êxito na escola, não se meterem em sarilhos, fazer um bom casamento e produzir netos. São muitas as formas de incutir um sentimento de dever nos filhos. Ao aceitar que lhe seja dada a vida e que cuidem dela, a criança aparentemente incorre numa dívida que só pode ser paga se corresponder às expectativas dos pais.

Dá-se muita importância ao fardo dos pais. Começando com a dor do parto, a perda de sono com a infância, a condução interminável exigida pelas actividades extra-escolares, o stresse das relações conflituosas da adolescência e culminando na despesa da universidade. Cada fase da educação é uma fonte frequente de queixas dos pais, sugerindo uma espécie de martírio. Será então de admirar que as crianças sintam que, se têm obrigações para connosco, nós devemos tê-las também para com elas?

A pergunta «O que devo aos meus pais?» pode perverter a forma de viver durante uma boa parte da idade adulta e, por vezes, a sua totalidade. *Na verdade, os nossos filhos não nos devem nada.* Foi uma decisão nossa trazê-los ao mundo. Amá-los e suprir as suas necessidades foi a nossa obrigação enquanto pais e não um acto altruísta. Sabíamos desde o início que estávamos a criá-los para nos deixarem e sempre foi nossa obrigação ajudá-los a fazer isso sem sentirem o peso de um eterno sentimento de gratidão ou de dívida.

Nas famílias que funcionam bem, os filhos partem com facilidade. As que funcionam mal tendem a retê-los. Encontro casas onde os filhos continuam a viver depois de entrados na idade adulta, muitas vezes infelizes. Tenho a sensação de que os mesmos conflitos e as mesmas angústias de separação ressurgem, mas sem nunca serem resolvidos. Toda a gente parece partilhar a mesma fantasia: «vamos continuar com isto até acertarmos». Às vezes, isso nunca acontece. Sei de pais que ainda ficam acordados até os «miúdos», com mais de vinte anos, e por vezes trinta, chegarem a casa. As discussões sobre as tarefas e as refeições reflectem uma ligação ao passado e o medo de um futuro independente. Há uma espécie de compromisso tácito para não alterar a família. Os jovens preferem renunciar a uma vida autónoma para manter a segurança de uma existência familiar, infantil. Esta situação tem a grande vantagem de permitir aos pais não terem de abdicar das suas responsabilidades e dá-lhes o sentimento de existirem por alguma coisa.

Nestas famílias, os papéis são conhecidos e bem definidos e temos a impressão de estar a assistir a uma peça bem ensaiada na qual cada um dos actores se tornou de tal forma exímio que a ideia de encerrar a produção e continuar a vida provoca uma enorme ansiedade.

Finalmente, quando tentam superar comportamentos inadaptados através do uso da lógica, são muitas vezes confrontados com o facto de *alguma ignorância ser invencível*. As pessoas podem estar tão agarradas à sua visão do funcionamento das coisas que ignoram tudo o que possa sugerir-lhes que a mudança é necessária.

4

Queixar-se... sim, e depois?

As histórias das nossas vidas, longe de serem narrativas fixas, estão sujeitas a constantes revisões. Ao tentarmos explicar aos outros como nos tornámos o indivíduo que somos, não cessamos de retecer e reinterpretar os fios da causalidade. Quando ouço os meus pacientes contarem-me o seu passado, fico impressionado com as relações que estabelecem entre o que viveram em crianças e aquilo que são hoje.

Então o que devemos ao passado? Ele moldou-nos, claro, e temos de aprender com ele se quisermos evitar repetir os mesmos erros que nos fazem sentir prisioneiros no drama da nossa autoria. É por esta razão que, na fase inicial da psicoterapia, é importante ouvir a história do paciente de forma acrítica. As memórias não contêm apenas os acontecimentos, mas também o seu significado para essa pessoa em particular. Na medida em que ela sofre de angústia, de depressão ou de uma forma de insatisfação existencial, devemos esperar que ela fale de ressentimentos e traumas que presumivelmente estão ligados ao seu estado actual.

Todos os adultos possuem rudimentos suficientes de psicologia para terem tendência a ligar os sintomas actuais a dificuldades anteriores. Assumir a responsabilidade dos seus actos e do seu estado emocional exige vontade. É mais fácil culpar as pessoas do passado, sobretudo os pais, por não terem feito um trabalho melhor.

Se *houve realmente* um trauma físico, sexual ou psicológico grave, é importante reconhecê-lo e tratá-lo. Nenhuma criança escapa ilesa à negligência ou aos maus-tratos dos pais. Convém proceder ao exame do problema com compreensão, dando valor ao ensinamento que podemos retirar de tais traumatismos e rejeitando a ideia muitas vezes aceite de que as experiências, mesmo as mais terríveis, definem as nossas vidas para sempre.

A mudança é a essência da vida. É o objectivo de todas as conversas terapêuticas. Para que o processo avance, ele deve ir além da simples queixa. As pessoas perguntam-me muitas vezes porque não fico entediado ao ouvir os doentes «lamuriarem-se» sobre as suas vidas. A resposta é evidente: queixarmo-nos da forma como nos sentimos ou da repetição de comportamentos com consequências desagradáveis é apenas um primeiro passo. Na terapia, a minha pergunta preferida é: «E depois?» (Com grande subtileza, tenho uma protecção de ecrã no computador, visível para os doentes, com estas palavras a passarem.)

A pergunta implica tanto o desejo de evoluir como o poder para o fazer. Ignora a autocomiseração implícita na prisão aos traumas do passado e reconhece a importância de conversas orientadas para o objectivo, da introspecção e de uma relação terapêutica como alavanca para a mudança no comportamento de uma pessoa.

Não dou muitos conselhos directos em terapia — não por uma questão de modéstia ou como «truque» para fazer com que os doentes apresentem as suas próprias soluções para os problemas, mas porque raramente tenho uma ideia clara daquilo que as pessoas precisam de fazer para melhorarem. Sou, no entanto, capaz de ficar junto delas enquanto o descobrem. O meu trabalho consiste em mantê-las concentradas na tarefa, indicar ligações que julgo ver entre passado e presente, interrogar-me sobre as suas motivações subjacentes e exprimir a minha confiança na sua capacidade de encontrarem soluções que lhes convenham.

Tem lugar uma espécie de aprendizagem. As pessoas vão muitas vezes ao psicólogo na esperança de receberem conselhos sensatos sobre o caminho a seguir. Afinal, vamos ao médico buscar receitas. Somos educados a acreditar em soluções rápidas. Sente-se mal? Tome este remédio. A ideia de que temos de nos sentar e falar dos nossos problemas e das coisas que tentámos e fracassaram implica um processo lento e pesado que repousa numa constante desconfortável: *somos responsáveis pela maior parte do que nos acontece.*

O terapeuta aqui tem de avançar com cuidado. Todos vivemos acontecimentos e sofremos perdas contra as quais nada podíamos fazer, e isso inclui o facto de nascermos numa família e não noutra, a forma como fomos tratados em crianças, bem com as mortes e os divórcios das pessoas próximas. Não é difícil defender que fomos negativamente afectados pelos acontecimentos e pelas pessoas que não pudemos controlar.

Se o terapeuta tenta orientar a conversa para as escolhas que dizem respeito ao futuro do doente, este último pode considerá-lo injusto e depreciativo. É aqui que a aliança terapêutica desempenha o seu papel. O paciente deve estar convencido de que o interlocutor está do seu lado.

Numa terapia bem feita, o terapeuta faz alternadamente o papel de substituto parental, de confessor e de conselheiro. Não há um terapeuta perfeito para todos os que procuram ajuda. Cada pessoa tem necessidades individuais que podem fazer com que se «adapte» bem ou mal a um determinado terapeuta, tal como este traz as suas experiências de vida, os seus preconceitos e a sua concepção do processo. Muitas vezes é inútil, e até prejudicial, tentar estabelecer contacto. Como com qualquer outra relação humana, o que funciona é frequentemente difícil de definir ou de prever.

As qualidades de um bom terapeuta espelham as de um bom pai: paciência, empatia, capacidade de afecto e de escutar sem julgar. Dito isto, tal como um pai reage de forma diferente a filhos diferentes, também os terapeutas obtêm melhores resultados com certos pacientes. Hesitamos admitir isto, mas tendemos a ser mais úteis para as pessoas que são parecidas connosco. Este preconceito raramente admitido é lógico. Nenhum de nós seria um terapeuta muito eficaz se fosse largado num país estrangeiro, mesmo que falasse a língua. A combinação subtil de hábitos e de expectativas culturais iria escapar-nos. Os membros da nossa sociedade vivem igualmente existências muito diferentes, dependendo, por exemplo, da sua raça ou posição social. Revela arrogância assumir que qualquer um de nós é eficaz com toda a gente.

Quando alguém vem consultar-me e começamos a conhecer-nos, uma das coisas que pergunto a mim mesmo é se gosto, ou virei a gostar, dessa pessoa. Se der por mim aborrecido ou ofendido com a história de um paciente, sei que está na altura de sugerir que ele pode progredir mais com outra pessoa. Por exemplo, se tenho dificuldade em lidar com um sentimento de desamparo que se afigure intratável. Se achar que estou a fornecer a maior parte da energia e optimismo ou se começo a perder a esperança de que pode haver mudança, é hora de parar. Se a pessoa que estou a ver me recorda demasiado um dos meus pais, uma pessoa com quem tive um conflito ou uma rapariga que me rejeitou na adolescência, sei que estou em terreno perigoso.

Finalmente, se me apercebo de que a pessoa com quem estou a falar parece muito ligada ao passado e não está disposta a encarar um futuro melhor, fico impaciente. É incorrecto oferecer *apenas* compreensão, mesmo quando esta é claramente justificada. O que eu «vendo», realmente, é a *esperança*. Se, após um grande esforço, não consigo convencer o paciente a «comprar», estou a perder o nosso tempo ao insistir.

5

É o menos implicado dos dois
que controla a relação

Os casamentos que conheço vão mal. Têm em comum o terem-se tornado lutas de poder entre parceiros; de facto, a maior parte parece tê-lo sido desde o início. Por detrás dos pretextos banais — o dinheiro, os filhos, o sexo —, o confronto tem geralmente como causa uma baixa auto-estima e expectativas não satisfeitas.

O amor romântico é a ideia que temos na cabeça quando partimos à procura de um parceiro. Esse paraíso terrestre, uma ilusão largamente partilhada, está na base da maioria das ficções que consumimos sobre o que significa alcançar a felicidade. Nos primeiros contactos, e ao escolhermo-nos mutuamente, damos uma grande importância à atracção sexual, fortemente combinada com uma espécie de egoísmo esclarecido que avalia o outro em função de uma série de qualidades e feitos: a sua educação, o seu rendimento, os interesses partilhados por ambos, a confiança que podemos ter na pessoa e a sua filosofia de vida. Para cada um, determinar em função destes critérios o perfil de um futuro eleito cria um certo conjunto de expectativas. É quando elas deixam de ser satisfeitas, ao longo do tempo, que o casal se afasta.

Esta formulação pode parecer excessivamente analítica e não ter em conta o misterioso processo em jogo quando nos «apaixonamos». Com efeito, na minha experiência, a escolha de uma pessoa em detrimento de outra decorre mais da «química» que da união indefinível mas poderosa de duas almas. Retrospectivamente, esta química pode definir-se como a combinação de vários elementos: estar pronto para o encontro, desejar a pessoa encontrada e esperar qualquer coisa. Eu estaria mais disposto a acreditar na ideia das duas almas se existissem mais provas de que este tipo de união pode durar.

Entre os desenvolvimentos mais inquietantes e reveladores do casamento moderno figuram a crescente popularidade dos acordos pré-nupciais. Outrora reservados aos muito ricos, esses acordos tornaram-se comuns entre as pessoas que vão casar-se depois de terem acumulado bens que estão relutantes em partilhar com os seus parceiros.

Os motivos para não incluir no património comum o que se leva para o casamento soam perfeitamente válidos à primeira vista. Muitas vezes cada cônjuge tem filhos a quem deseja deixar a sua herança. A maioria já passou por um divórcio que foi dispendioso tanto financeira como emocionalmente e está consciente das estatísticas que mostram que os segundos (ou terceiros) casamentos têm uma taxa ainda maior de insucesso do que os primeiros.

No entanto, é desanimador ver duas pessoas prestes a unirem as suas vidas a agirem como compradores de carros usados. Exigimos contratos às pessoas em quem não confiamos, para estarmos protegidos caso elas queiram aproveitar-se de nós. Exigir um acordo desse tipo a alguém que pretendemos amar reflecte uma visão profundamente cínica da relação. É quase uma previsão de fracasso. E, à força de o desejar, frequentemente torna-se realidade.

A lenta evolução da lei permitiu que «diferenças irreconciliáveis» e «divórcios por mútuo consentimento» substituíssem os motivos mais tradicionais até agora exigidos para pôr fim a um casamento. No entanto, a necessidade de justificar a separação muitas vezes acaba num clima de tensão em que cada pessoa tenta colocar a superioridade moral do seu lado — com resultados especialmente infelizes para qualquer criança envolvida.

Quando os casamentos entram na longa espiral descendente rumo à alienação, muito raramente é um processo simétrico. Um dos cônjuges sente e expressa tipicamente menos afecto e respeito que o outro. Isto parece ser uma tentativa de garantir o controlo da relação. Pode ver-se que este esforço foi bem-sucedido quando um cônjuge investe mais na reconciliação e se mostra muito mais inquieto com a perspectiva de uma ruptura. Quando faço notar a um paciente que o seu parceiro não partilha da intensidade da perturbação que está a sentir e que essa é a razão por que se sente «descontrolado», ele geralmente não tarda a identificar de onde vem a dificuldade da sua situação. *Embora sejam precisas duas pessoas para criar um relacionamento, basta apenas uma para o terminar.*

Quando leio anúncios de casamento e olho para as fotografias sorridentes dos noivos, compreendo porque ninguém lhes diz: «Sabem que este casamento tem cinquenta por cento de hipóteses de durar. O que os faz pensar que vão ganhar no jogo da moeda?» É impensável fazer tal pergunta a pessoas cheias de ilusões. O terreno para a desilusão e a traição está preparado. Um acto de optimismo supremo, coragem ou insensatez, segundo o ponto de vista adoptado, é encorajado a seguir o seu curso cheio de promessas, enquanto o Fantasma do Futuro Natal está em silêncio.

6

Os comportamentos condicionam os sentimentos

As pessoas que vêm consultar um psicoterapeuta fazem-no na esperança de mudar a sua percepção da realidade. Quer lutem contra a tristeza que as invade quando estão deprimidas ou contra as manifestações debilitantes da ansiedade, procuram um alívio, um regresso à normalidade. As emoções que desejariam poder reprimir estão a interromper a sua vida em momentos particularmente determinantes. Muitas vezes não podem cumprir as suas obrigações profissionais e já não sentem prazer na companhia daqueles que amam. A sua aptidão para o prazer está gravemente reduzida; encaram tudo com uma seriedade implacável; perderam a sua capacidade de rir.

A maioria das pessoas sabe o que é bom para si, sabe o que as fará sentirem-se melhor: o exercício físico, os seus passatempos preferidos, a companhia das pessoas que são importantes para si. Não evitam estes prazeres por causa da ignorância do seu valor, mas porque já não se sentem «motivadas» para os ter. Estão à espera de se sentirem melhor. Frequentemente, é uma longa espera.

Por muito que tentemos, *não controlamos o que sentimos ou o que pensamos*. Todos os esforços nesse sentido têm invariavelmente resultados frustrantes, uma vez que lutar contra pensamentos e emoções indesejados serve apenas para os exacerbar. Felizmente, a experiência ensinou-nos que certos comportamentos trazem-nos prazer e satisfação. Oferecem-nos uma oportunidade de sair do impasse provocado pela inacção e pelo desespero e a impressão de absurdo que lhe estão associadas. Quando os pacientes me dizem que se sentem impotentes e desmotivados, lembro-lhes que foram capazes de sair da cama, de se vestirem e de conduzirem para me verem. Se conseguiram fazer isso, serão capazes de outras acções benéficas para o seu bem-estar.

Quando respondem, correctamente, que é difícil fazerem coisas que não lhes apetece, dou-lhes razão e pergunto se «difícil» tem para eles o mesmo significado que «impossível». Pouco depois estamos a falar de coisas como coragem e determinação. As pessoas raramente associam estas virtudes à psicoterapia; na verdade, são requisitos para qualquer alteração substancial na forma como vivemos. Pedir a alguém que tenha coragem é esperar que pense na sua vida de uma nova forma.

Mas qualquer mudança exige experimentar coisas novas, arriscando sempre a possibilidade do fracasso. Outra pergunta que faço muitas vezes aos doentes é: «Para que se está a guardar?» A nossa compaixão pelas pessoas ansiosas e depressivas tal como os nossos esforços para as aliviar e evitar que sejam estigmatizadas devido aos problemas de que sofrem levaram-nos a considerar estes problemas como doenças físicas que exigem medicação. É verdade que a nova geração de antidepressivos provou ser extraordinariamente eficaz. A desvantagem da abordagem médica é que a doença, na nossa sociedade, faz de nós seres irresponsáveis. Os doentes são infantilizados, muitas vezes imobilizados em camas de hospital, dizem-lhes para terem calma e deixarem os medicamentos agir. Sem que tivéssemos cometido qualquer falta, perdemos temporariamente o controlo da nossa vida e temos de assumir um papel passivo, na esperança de uma melhoria que a ciência médica não tardará a trazer-nos. Enquanto este processo decorre, pouco se espera de nós. Infelizmente, esta abordagem pode ser contraproducente.

É fácil ver como chegámos a este impasse. A predisposição para muitos transtornos emocionais tem uma base genética. O alcoolismo, por exemplo, transmite-se no seio das famílias e produz mudanças catastróficas no nosso corpo que nos podem matar se continuarmos a beber. Mas poderemos classificá-la como uma *doença* no mesmo sentido que a pneumonia e a diabetes? E, nesse caso, é justo esperar que os bêbados inveterados façam alguma coisa acerca dos seus problemas de alcoolismo, ou devemos considerar que estão impotentes face à sua doença?

O êxito do tratamento do alcoolismo e de outras formas de dependência demonstrou que a pessoa intoxicada *é* obrigada a FAZER alguma coisa, nomeadamente recusar-se a beber ou a drogar-se para controlar a sua condição. O meio mais eficaz para isto é através do apoio de grupo prestado pelos Alcoólicos Anónimos ou pelos Narcóticos Anónimos, organizações que acreditam que cada viciado tem a responsabilidade de parar de consumir que não pode ser escamoteada, racionalizada ou transferida para outra pessoa.

Quem vive com um alcoólico pensa que o alcoolismo é uma doença como as outras e fica prisioneiro desse modelo. Se o cônjuge sofre de uma doença, será justo insistir na abstinência? O mesmo vale para outros distúrbios emocionais. É evidente, por exemplo, que os maníaco-depressivos, sujeitos a oscilações de humor desmoralizantes, padecem de uma doença orgânica. Será então razoável insistir que tomem medicamentos reguladores do humor, o tratamento prescrito para a sua condição, ou devem aceitar-se como inevitáveis os seus comportamentos disparatados, o sintoma mais flagrante da sua doença?

E que dizer das pessoas que sofrem de distúrbios de personalidade caracterizados pela repetição de comportamentos inadaptados que as conduzem à impulsividade, à desonestidade ou à instabilidade emocional? Serão também doentes que merecem a indulgência que reservamos para aqueles que não podem ajudar-se a si mesmos?

Existe uma gama de problemas comportamentais que se caracteriza por uma atitude irresponsável na pessoa afectada, à semelhança da que caracteriza a doença física. Curiosamente, são muitas vezes designadas pelas suas iniciais inglesas, MPD (*Multiple Personality Disorder* — distúrbio de personalidade múltipla), BDP (*Borderline Personality Disorder* — transtorno de personalidade *borderline*), ADD (*Attention Deficit Disorder* — distúrbio do défice de atenção) e assim por diante. A personalidade múltipla, ou MPD (que no universo perpetuamente em movimento do diagnóstico psiquiátrico se chama agora distúrbio de identidade dissociada, ou DID), foi durante bastante tempo o exemplo-tipo. Popularizada em filmes como *As Três Faces de Eva* e *Carrie*, é caracterizada pela presença de duas ou mais personalidades distintas que alternadamente assumem o controlo do comportamento de uma pessoa. A MPD, agora felizmente menos em voga do que há alguns anos, continua a ter adeptos, apesar de ser quase de certeza um estado induzido pelo terapeuta a pessoas altamente sugestionáveis. Muitas vezes avançado como argumento pela defesa para explicar o comportamento irresponsável de um arguido, é em geral tratada sem contemplações pelos jurados, cujo bom senso supera os «especialistas» arrastados para o apoiar.

Um exemplo mais comum de diagnóstico da moda é o distúrbio do défice de atenção (ADD) nos adultos. As pessoas desorganizadas que sonham acordadas têm agora uma explicação médica para a sua desatenção e um tratamento eficaz: drogas estimulantes. Os doentes relatam uniformemente que se sentem mais animados e que fazem mais quando tomam uma anfetamina. A isto, posso apenas responder: «Eu também.»

A questão é que, num esforço para eliminar uma verdadeira doença mental (depressão, esquizofrenia, transtorno bipolar), criámos uma série de diagnósticos que se resumem, na realidade, a descrições de certos comportamentos. O facto de os medicamentos psicotrópicos parecerem agir sobre alguns deles contribui para nos persuadir de que se tratam de «doenças». Por exemplo, tem sido observado que as mulheres vítimas de abuso conjugal são pessoas dependentes com dificuldade em separar-se do seu agressor. Ao baptizar este comportamento de «síndroma da esposa espancada», entendemos que estas mulheres são incapazes de alterar a sua situação e que não têm o mesmo grau de responsabilidade nas suas escolhas do que as outras pessoas.

Não é difícil ver o insulto subentendido nesta suposição. Sugere a indulgência que estendemos às crianças e aos deficientes físicos. Na verdade, criámos uma escala de diagnósticos que reconhece os problemas de ordem psicoafectiva como uma invalidez e, como tal, com direito a ajuda do Estado, tal como se as pessoas estivessem confinadas a uma cadeira de rodas. Isto é justificado para aquelas que sofrem de verdadeira doença mental e não apreendem a realidade ou são vítimas de incontroláveis oscilações de humor. Qualificar de «deficientes» pessoas que comem de mais, abusam do álcool ou de drogas ou que simplesmente precisam de medicamentos para controlar a sua ansiedade é impedi-las de assumir a responsabilidade de resolverem elas próprias os seus problemas. Isto contribui para lesar irreversivelmente a auto-estima que advém de se ser um indivíduo livre na terra, capaz de lutar e de vencer a adversidade.

Como noutras formas de assistência, atribuir uma pensão a adultos que se sentem incapazes de enfrentar o seu problema é encorajá-los, criando um motivo poderoso para renunciarem à sua autonomia e ao sentido de competência. Por outras palavras, esse sistema prejudica a auto-estima das pessoas que pretende ajudar. Mantém-nas dependentes e impotentes. Para entrar neste jogo, nos Estados Unidos basta uma nota do médico e paciência para esperar enquanto a burocracia certifica a invalidez da pessoa. Os advogados, escusado será dizer, estão disponíveis para acelerar o processo.

É nossa determinação ultrapassar o medo e o desalento que constituem o único antídoto eficaz para o sentimento de impotência em relação a emoções indesejadas. Algumas pessoas estão geneticamente mais predispostas a sofrer desses desconfortos. Embora a medicação possa fornecer um alívio fundamental, por vezes salvador, as pessoas também têm a obrigação de alterar o seu comportamento de maneira a permitir-lhes exercer um maior controlo sobre a sua existência.

A posição de vítima é geralmente acompanhada por um sentimento de vergonha e de culpabilidade. Isto é verdade nas pessoas vitimadas por grandes catástrofes sociais (escravatura, o Holocausto) ou por experiências individuais terríveis (crime, doença). É por isso que existe uma linha muito ténue entre adoptar uma atitude empática e solidária em relação àqueles que sofrem ou apoiar uma dependência passiva.

7

A sorte sorri aos audazes

Quando era novo, passei algum tempo na guerra. Fui para o Vietname por diversas razões, mas principalmente para testar a minha coragem. Também me sentia deprimido na altura, e sem dúvida que o desejo de morrer não foi estranho à minha decisão. Em todo o caso, eu era a favor da guerra. Tínhamos de parar o comunismo nalgum lado, ou assim eu acreditava então. Um pouco de experiência de combate também ajudaria a minha carreira emergente na medicina militar.

Eu era um major recém-promovido na altura e foi-me atribuído o posto de cirurgião no 11.º Regimento de Cavalaria Blindada (*Blackhorse*), uma unidade de cinco mil homens que operava a noroeste de Saigão. O comandante chamava-se George S. Patton III. Já devem ter ouvido falar do pai dele.

Fiz os possíveis por me adaptar. Passei bastante tempo em helicópteros, fui alvejado em alguns, recebi uma Estrela de Bronze por ter tirado dois soldados inimigos de um terreno difícil. Mas quanto mais via daquela guerra, menos orgulhoso me sentia da minha participação nela. O que estávamos a fazer ali era tão destrutivo para aquele país e para o seu povo que era absurdo fingir que lutávamos em seu nome. Também não o tratávamos com muito respeito. Para nós eles eram «viets», ou «olhos em bico», ou «amarelos». Acabei por me fartar. E as nossas perdas eram astronómicas. O número de mortos americanos acabou por chegar aos cinquenta e oito mil. Podem ler-se os seus nomes numa parede de granito preto, em Washington.

Lembro-me do momento em que soube que íamos perder a guerra. Frustrados com a nossa incapacidade de encontrar o esquivo vietcongue, havíamos desenvolvido um programa ultra-secreto para localizar concentrações de tropas inimigas. Chamava-se «farejador de pessoas», um dispositivo sensível à presença do amoníaco na urina; podia ser suspenso de um helicóptero a sobrevoar a selva a baixa altitude. Quando se identificava uma leitura alta, a artilharia era apontada para a área. Uma noite em 1968 participei num *briefing* ao final do dia onde um capitão de infantaria descrevia um reconhecimento na selva. Ele e os seus homens tinham encontrado algo que não conseguiam explicar: baldes de urina pendurados das árvores. Patton e o seu oficial de informações trocaram olhares de embaraço ao reconhecerem que estávamos a disparar munições que custavam duzentos e cinquenta dólares cada uma para baldes de urina por todo o Vietname. Parece mais engraçado agora do que naquela altura.

Em todo o caso, eu fartara-me. No domingo de Páscoa de 1969, circulei entre os convidados de uma cerimónia de mudança de comando para o coronel Patton e entreguei a todos cópias de algo que escrevera na noite anterior. Chamei-lhe «Oração dos *Blackhorse*»:

Pai nosso que estais no céu ouvi a nossa prece. Reconhecemos as nossas falhas e pedimos a vossa ajuda para sermos melhores soldados. Dai-nos, ó Senhor, aquelas coisas de que precisamos para fazer o vosso trabalho de forma mais eficaz. Dai-nos hoje uma arma que dispare dez mil munições por segundo, um napalm que arda durante uma semana. Ajudai-nos a trazer a morte e a destruição onde quer que vamos, pois fazemo-lo em vosso nome e, portanto, a nossa missão é justa e santificada. Agradecemo-vos esta guerra, plenamente conscientes de que, embora não seja a melhor de todas as guerras, é melhor do que nenhuma. Recordamos que Cristo disse: «Não vim trazer a paz, mas a espada» e comprometemo-nos em todas as nossas obras a ser como ele. Não esqueçais o menor dos vossos filhos que se esconde de nós na selva; colocai-o sob a nossa mão misericordiosa para que possamos pôr fim ao seu sofrimento. Em todas as coisas, ó Deus, ajudai-nos, pois fazemos o nosso nobre trabalho sabendo que só com a vossa ajuda poderemos evitar a catástrofe da paz que nos ameaça sempre. Tudo isto pedimos em nome do vosso filho, George Patton. Ámen.

Estavam presentes alguns oficiais de patente elevada, incluindo o general Creighton Abrams, o comandante das forças norte-americanas no Vietname. Havia também vários jornalistas. Um deles perguntou a Patton se aquela era a oração oficial da unidade.

Fui preso e iniciou-se uma investigação para ver se eu teria de ser julgado em tribunal militar. Decidiram que não. Teria sido um inconveniente julgar um diplomado de West Point capaz de depor em primeira mão sobre crimes de guerra. Então mandaram-me para casa como «um embaraço para o comando». Posteriormente demiti-me do Exército e trabalhei com muitos outros para pôr fim à guerra. Não fomos logo bem-sucedidos. Foram precisos quatro anos e mais vinte e cinco mil americanos mortos até o último soldado vir finalmente embora.

Vinte e seis anos depois voltei ao Vietname acompanhado por dezassete membros da minha antiga unidade, assim como pelo meu filho Michael, que eu tinha ali encontrado num orfanato durante a guerra ainda bebé. Visitámos os sítios onde tínhamos vivido e lutado muito tempo antes. Os nossos guias incluíam antigos soldados norte--vietnamitas e vietcongues que também tinham as suas próprias memórias da guerra. Foram simpáticos e acolhedores. Era mais fácil para eles, suponho; tinham vencido. Quase todos os vestígios da nossa presença ali haviam sido apagados. A nossa maior instalação em Long Binh estava a ser transformada num parque industrial.

Metade da população actual do Vietname não estava sequer viva na altura da guerra. Os jovens que conhecemos ao revisitarmos os locais dos nossos combates devem ter-se interrogado sobre o que estávamos à procura, não sabendo aquilo que recordávamos. Transportávamos a carga do tempo e do destino e os nossos corações estavam pesados com o conhecimento daqueles que não podiam regressar e cujas histórias estavam perdidas para todos, excepto para aqueles que os amavam.

Quando me vi no lugar daquela cerimónia de mudança de comando em 1969, recordei a raiva, as dúvidas e o medo que senti naquele domingo de Páscoa, quando, com a ajuda de uma oração, renasci.

8

A perfeição é inimiga do bom

Dedicamos bastante tempo e energia a tentar controlar aquilo que nos acontece ao longo da nossa existência incerta. A segurança que aprendemos a procurar e que nos escapa sem cessar é principalmente baseada na aquisição de bens materiais e nos meios utilizados para obtê-los. No início da vida, colocam-nos numa espécie de pista com a sugestão implícita de que, se formos «bem-sucedidos», seremos felizes e estaremos em segurança.

A educação é o principal meio para atingir este fim. O percurso escolar, bastante estratificado, fornece a cada um o seu lugar na escala social, bem como as suas hipóteses de sair de lá; isto materializa-se por uma série de etapas a ultrapassar que nos tranquilizam sobre as nossas capacidades de progredir. Cada diploma traz consigo a promessa de uma subida de *status* e de um maior bem-estar económico. Afinal de contas, espera-se, teremos acumulado um conjunto de competências especializadas que os outros pagarão para usar e teremos assim os meios para possuir os objectos indispensáveis a quem quer pertencer plenamente a uma sociedade que garante aos seus cidadãos a busca da felicidade.

Também aprendemos que é importante formar relacionamentos íntimos que satisfaçam as nossas necessidades fundamentais (ter uma vida sexual, estabilidade financeira, filhos) e tudo fazer para ter uma boa auto-estima e segurança afectiva. As instruções que nos são dadas pelos mais velhos tendem a concentrar-se no êxito económico. Somos deixados sozinhos para descobrir o modo de nos relacionarmos com os outros, especialmente as pessoas do sexo oposto, cujas necessidades e desejos, embora teoricamente complementares aos nossos, permanecem frustrantemente obscuros.

Os problemas iniciam-se quando começamos a controlar a vida dos outros com o objectivo de melhor controlar a nossa. Neste jogo chegamos *ex aequo*, pois só obtemos o que queremos à custa de outra pessoa.

Vivemos numa sociedade competitiva. Estamos sempre a dividir o mundo em vencedores e vencidos: republicanos contra democratas, o bem contra o mal, a nossa equipa contra a equipa dos outros. O nosso sistema capitalista é baseado na competição; o nosso sistema jurídico prospera enquanto houver conflitos e o interesse pessoal estiver acima do interesse colectivo. Será então de admirar que a nossa filosofia de vida se resuma a esta fórmula maniqueísta: se há um derrotado, há um vencedor? Tal ponto de vista apenas pode ter um efeito devastador no delicado processo de construção de uma intimidade a dois.

O controlo é uma ilusão popular intimamente relacionada com a busca da perfeição. Nos nossos sonhos podemos vergar o mundo e as pessoas à nossa vontade. Não teríamos necessidade de negociar as diferenças, de suportar a incerteza do fracasso e da rejeição. Apesar de compreendermos que esse mundo é impossível, por vezes vamos bastante longe para conseguir controlar ao máximo aqueles à nossa volta através do exercício do poder ou da manipulação.

Todos conhecemos pessoas perfeccionistas. Exigentes em relação a si próprias e às que as rodeiam, têm tendência para se mostrarem meticulosas até à obsessão e, no fim de contas, isso torna-se alienante. Desconfiam dos sentimentos e preferem ocupar-se com coisas mais seguras.

Em defesa do perfeccionismo, poderá dizer-se que as pessoas obsessivas fazem funcionar o mundo. Quem, afinal, quer ser operado por um cirurgião demasiado descontraído ou voar num avião cuja manutenção é feita por mecânicos que se contentam em que seja «razoável» o seu desempenho? Para sermos excelentes em qualquer coisa não podemos hesitar em cuidar dos pormenores (nos quais reside Deus ou o diabo, dependendo da nossa orientação).

O problema dos perfeccionistas e da sua preocupação com o controlo é que as qualidades que os tornam eficazes no trabalho os podem tornar insuportáveis na vida pessoal. Trato um grande número de engenheiros, contabilistas e programadores. Serem menos controladores no seu trabalho iria torná-los pouco eficientes. O melhor que podemos esperar é iniciá-los no *paradoxo da perfeição*: em certas situações, nomeadamente nas nossas relações íntimas, só obtemos o controlo se renunciarmos a ele.

9

«Porquê?» ou «porque não?» eis a questão

Compreender por que motivo fazemos as coisas é muitas vezes uma condição prévia para a mudança. Isto é especialmente verdadeiro quando falamos de padrões de comportamento repetitivo e nocivo. Era isso o que Sócrates queria dizer quando afirmou: «Uma vida sem exame não vale a pena ser vivida.» O facto de muitos de nós não seguirmos o seu conselho mostra bem a que ponto o exame de consciência exige esforço e arrisca deixar-nos embaraçados.

O que motiva os nossos actos, a nossa forma de viver, é muitas vezes obscuro, mesmo que pensemos tomar decisões conscientes. O maior contributo de Freud para a psicologia foi a sua teoria do inconsciente, que, funcionando abaixo do nível da nossa consciência, influencia o nosso comportamento. Para muitas pessoas, é assustadora a ideia de que muito do que fazemos é o produto de motivações de que podemos não ter consciência. É especialmente desconcertante quando nos pedem para prestar atenção aos sonhos e deslizes de linguagem para compreender pensamentos e impulsos que preferíamos não enfrentar. Como quando o presidente Nixon, num discurso perante o Congresso durante o caso Watergate, disse: «É tempo de nos livrarmos do nosso presidente desacreditado... ou melhor, do nosso actual sistema de assistência.» (Ou como Condoleezza Rice, quando começou uma história: «Como estava a dizer ao meu mari... Como estava a dizer ao presidente Bush...»)

Quando reconhecemos que existe sob a nossa consciência um pântano de desejos reprimidos, ressentimentos e motivações que afectam o nosso comportamento no dia-a-dia, damos um importante passo em direcção à compreensão de nós próprios. Mais uma vez reina o paradoxo. Se negarmos a existência de uma tal vida interior (como fez Nixon, que tinha pavor a psiquiatras), ficaremos admirados quando, um dia, perdermos o controlo. (Porque é que ele quis gravar e preservar as conversas incriminatórias que destruíram a sua presidência?)

Ignorar a existência do nosso subconsciente tende a ter resultados perturbadores. Reparamos primeiro nas consequências de tal desconhecimento: somos surpreendidos por padrões de comportamento destrutivo que nos levam a cometer repetidamente os mesmos erros.

Usando um exemplo banal, o que pensar de uma mulher que escolhe para companheiros homens alcoólicos e violentos como o pai? Ou do homem que se despede de vários empregos sempre pela mesma razão, um conflito com a autoridade? Mudar estes comportamentos prejudiciais requer primeiro admiti-los. As pessoas não gostam de fazer isso, preferindo invocar coincidências ou simplesmente concentrarem-se em eventos individuais, de forma a colocar a responsabilidade nos outros. Portanto, se o nosso homem com problemas de autoridade também recebe uma série de multas de velocidade, muitas vezes é difícil para ele associar isso às suas dificuldades profissionais.

Se as pessoas têm relutância em responder aos «porquês?» das suas vidas, tendem também a ter problemas com os «porque não?» Esta pergunta compreende um risco. E somos todos, em graus diversos, alérgicos a correr riscos. Particularmente quando temos medo de ser rejeitados, tendemos a mostrar-nos frágeis e a proteger-nos. Contrariamente ao que seria de esperar, a idade e a experiência não atenuam esta crença; geralmente acontece o oposto. Procurar um parceiro amoroso na meia-idade é uma das necessidades mais comuns e importantes. Para muita gente, é uma tarefa assustadora que se complica com hesitações e fugas.

A solidão, quando não é escolhida, é vulgarmente associada à depressão. A popularidade dos *sites* de encontros na Internet testemunha a necessidade de partilhar a vida com alguém. Como a nossa cultura consagra a juventude e a beleza e desvaloriza as pessoas mais velhas, torna-se difícil, passada uma certa idade, uma pessoa sentir-se suficientemente desejável e confiante para retomar o namoro e considerar a intimidade. Até o nosso vocabulário nos trai; «namorado» e «namorada» soam estranhos na boca de pessoas entre os quarenta e os cinquenta.

Quando confrontados com coisas novas, a pergunta deveria ser «porque não?», mas as pessoas preferem «porquê?», o que evita as desilusões. Isso pode levar à criação de desculpas infindáveis para evitar correr o risco de se mostrar disponível. Muitos escolhem continuar sozinhos em vez de tentarem conhecer novas pessoas, temendo sempre serem rejeitados. «Todos os homens bons são casados» ou «todas essas mulheres têm demasiada experiência» são frases que estou habituado a ouvir.

Pergunto frequentemente às pessoas que são alérgicas ao imprevisto: «Qual foi o maior risco que já correu?» Elas começam a tomar consciência da escolha de vida que fizeram: a da segurança. As clássicas formas de prova — desportos de contacto, viajar de mochila pela Europa, o serviço militar — são estranhas para a maioria. Algo se perdeu na nossa preocupação obsessiva com a segurança — um certo espírito de aventura. A vida é um jogo no qual não damos as cartas, mas somos todavia obrigados a jogá-lo o melhor que podemos.

O maior desafio é quando o nosso coração está em jogo. Onde aprendemos a jogar? Como podemos equilibrar o risco de errar com a certeza da solidão se jogarmos pelo seguro? Não existe noutro domínio onde os extremos do cinismo, por um lado, e da temeridade, pelo outro, se rivalizem tanto. Ao contrário da maioria dos jogos, toda a gente deve sair a ganhar. Se jogarmos como se isto fosse uma competição, iremos perder. E, no entanto, como saber se a outra pessoa nos quer bem?

Para ganhar, é preciso correr riscos, por vezes bastantes. Nas nossas outras actividades, não esperamos ser bons logo de início. Toda a gente aceita a ideia de uma progressão na aprendizagem, às vezes acompanhada por erros dolorosos antes de adquirir a perícia. Ninguém espera tornar-se bom no esqui sem cair. E contudo muitas pessoas ainda ficam surpreendidas com a dor que acompanha os seus esforços para encontrar alguém digno de seu amor.

Correr os riscos indispensáveis para atingir esta meta é um acto de coragem. Recusar corrê-los, para se proteger de um eventual desgosto, é um acto de desespero.

10

As nossas maiores forças são as nossas maiores fraquezas

Existe uma ligação entre o sucesso académico e profissional e certas características de personalidade, como a dedicação ao trabalho, a atenção aos pormenores, a capacidade de gerir o tempo. Os indivíduos dotados destas qualidades são geralmente excelentes alunos e trabalhadores produtivos. Também pode ser difícil viver com eles.

Pense nisso: as pessoas muito exigentes consigo próprias têm tendência a sê-lo também com aqueles que os rodeiam. É uma atitude apreciada no trabalho. Pelo contrário, passar o tempo a tomar nota do que há para fazer, ser perfeccionista, preferir o esforço em detrimento do prazer e da amizade, a falta de flexibilidade e a teimosia não ficam bem em casa, sobretudo quando aqueles que estão próximos de nós apreciam a cumplicidade, a descontracção e a tolerância.

É preciso ser capaz de compartimentar a vida para se ter êxito em todos os domínios. Fazer malabarismo com as nossas múltiplas responsabilidades — no trabalho, com o companheiro, com os filhos, com os amigos — é um desafio. Vemo-nos como a pessoa que pode ser tudo o que está a fazer no momento, mas os nossos diferentes papéis exigem de nós atitudes diferentes. Se nos comportarmos como um administrador nas decisões que tomamos em privado, corremos o risco de suscitar ressentimento e resistência naqueles que nos são chegados. Inversamente, se tendemos a ser impulsivos, superficiais e a procurar prazer no local de trabalho, será difícil sermos bem-sucedidos.

Uma das combinações mais frequentes em muitos casamentos é o casal formado por uma personalidade muito obsessiva (geralmente um homem) e outra mais impulsiva e extrovertida (geralmente uma mulher). Estas pessoas procuram uma na outra aquilo que não são, completam-se. O homem sente que na sua vida falta diversão e valoriza na mulher que ela seja menos inibida, mais espontânea do que ele. A mulher vê no lado organizado e meticuloso do companheiro a forma de moderar as suas tendências impulsivas. É fácil de ver por que motivo uma tal relação conduz frequentemente à desilusão e à frustração. (Ele: «Porque não podes ser mais responsável?» Ela: «Não sabes mesmo divertir-te.»)

As pessoas com uma estrutura psicológica compulsiva têm tendência para a depressão, como alguém que aspira à perfeição num mundo imperfeito. Como compreender que as atitudes que as tornam bem-sucedidas no trabalho são mal recebidas por aqueles com quem vivem? Os obsessivos dão muita importância ao controlo. Qualquer coisa que ameace essa sensação de estar no comando provoca ansiedade. Isso leva-os inevitavelmente a tentar recuperar o controlo, acentuando os comportamentos que causaram o problema logo de início. O conflito resultante produz sentimentos de frustração e desânimo que reforçam a sensação de fracasso.

Mais uma vez, a pergunta «como funciona isso?» pode manter a terapia dentro de parâmetros úteis. As pessoas são interpeladas sobre um plano prático e não teórico. Adoptamos todos uma atitude defensiva quando as nossas convicções são postas em causa; é por essa razão que as discussões políticas ou religiosas são infrutíferas. É mais fácil persuadir outra pessoa a mudar de atitude se nos basearmos apenas no aspecto pragmático dos seus actos.

Levadas ao extremo, praticamente todas as características humanas — o espírito de competição, o gosto pela ordem e até a bondade — podem produzir resultados indesejáveis. Talvez se trate apenas de um argumento suplementar para incitar à moderação em todas as coisas. Mas temos de reconhecer que as qualidades de que mais nos orgulhamos podem ser a nossa perda.

Somos aqui confrontados com os paradoxos da existência e é preciso evitar os mais perturbadores. O conhecido conselho «tem cuidado com aquilo que desejas» é um bom exemplo. Os desejos que sentimos na nossa juventude e os amores que tão ardentemente perseguimos divertem-nos e ao mesmo tempo fazem-nos arrepender mais tarde.

Onde está a rapariga por quem estávamos tão apaixonados na escola? Mesmo que tenhamos casado com ela, ela já não é a pessoa por quem nos apaixonámos; essa não passa de uma recordação, como muitas vezes os sentimentos que nos inspirou. As coisas que temos a certeza de que nos irão fazer felizes raramente cumprem a sua promessa. O destino, parece, tem sentido de humor.

A lista de paradoxos na nossa vida é interminável: a incessante busca de prazer provoca a dor; o maior risco é não correr qualquer risco. O meu preferido diz o seguinte: *tudo na vida é uma boa e uma má notícia*. No trabalho, a promoção tão ansiada traz mais dinheiro mas também mais dores de cabeça; as nossas férias de sonho deixam--nos endividados; a experiência ensinou-nos muito, mas já somos demasiado velhos para aproveitar isso; os jovens desperdiçam a sua juventude.

Tudo passa, tudo cansa. A vida forçosamente efémera prega-nos partidas cruéis. Os nossos esforços para aprender, para adquirir, para nos agarrarmos ao que temos... são, afinal de contas, em vão. O derradeiro paradoxo e o mais determinante resume-se assim: *aceitar plenamente a nossa mortalidade é a única forma de atingir a felicidade no tempo que nos falta*. A intensidade das nossas ligações àqueles que amamos depende da nossa concepção particular de existência; nada nem ninguém existe para sempre, mas existe por quanto tempo? Para ser capaz de sentir o prazer é preciso optar por um saudável desapego e aceitar corajosamente o peso do tempo e a perspectiva da derradeira derrota.

11

As piores prisões são as que construímos para nós

Quando pensamos na privação da liberdade, raramente pensamos nas formas que utilizamos para impor restrições nas nossas vidas. Tudo aquilo que temos medo de experimentar, todos os nossos sonhos inalcançados permitem medir o intervalo entre aquilo que somos e o que podemos tornar-nos. Normalmente é o medo e a sua prima direita, a ansiedade, que nos impedem de fazer as coisas que nos deixariam felizes. O essencial da nossa existência consiste em promessas a nós próprios não cumpridas. Aquilo que desejamos na vida — receber uma educação, sermos bem-sucedidos profissionalmente, apaixonarmo-nos — corresponde às aspirações partilhadas por todos. E os meios para as satisfazer nada têm de misterioso. No entanto, muitas vezes, não fazemos o que é necessário para nos tornarmos nas pessoas que queremos ser.

É humano imputar aos outros a culpa dos nossos fracassos. Os pais também têm alguma. Acusamos a falta de oportunidade, como se a vida fosse uma lotaria com um número limitado de bilhetes vencedores. A falta de tempo e a necessidade de ganhar a vida são desculpas comuns para a nossa inacção. O receio de fracassar gera uma inércia incapacitante. *Ter pouca ambição evita que fiquemos desapontados.*

Não gostamos de nos considerar encurralados. Afinal de contas habitamos num país onde tudo é possível. Estamos rodeados por imagens de sucesso e a nossa cultura apresenta-nos constantemente histórias de pessoas obscuras que se tornaram famosas, muitas vezes sem possuir um grande talento. Ao invés de se servirem destas histórias para ter esperança, a maior parte das pessoas interpreta-as como indicações suplementares da sua própria mediocridade. A aparente facilidade com que essas pessoas alcançam a glória perturbam-nas e desanimam-nas. Na verdade, uma mudança digna desse nome só ocorreu lentamente, mas isso é bom numa sociedade onde tudo deve acontecer depressa. Onde encontrar a determinação e a paciência necessárias para alcançar os nossos objectivos?

Não faltam conselhos. As livrarias e as revistas transbordam de sugestões sobre a forma de como nos tornarmos mais ricos, mais magros, mais seguros de nós, menos ansiosos, mais sedutores. Seria de pensar que estamos todos empenhados numa orgia de desenvolvimento pessoal. E, no entanto, as pessoas com quem falo, aquelas que têm a coragem de reconhecer que precisam de ajuda, continuam a reproduzir, na sua maior parte, aquilo que faziam ontem e no ano anterior. O meu trabalho consiste em apontar este estado de coisas e interrogar-me com elas sobre o que seria necessário fazer para conseguir verdadeiras mudanças no seu comportamento.

Antes de alcançarmos seja o que for, devemos ser capazes de imaginar. Isto parece fácil, mas apercebo-me que muitas pessoas não fazem a ligação entre um comportamento e aquilo que sentimos no nosso interior. Atribuo grande parte da responsabilidade à medicina moderna e à indústria publicitária. Habituamo-nos à ideia de poder ultrapassar rapidamente e sem muito esforço aquilo de que não gostamos em nós e nas nossas vidas. A comercialização de medicamentos que modificam o nosso humor, a possibilidade de mudar a nossa aparência graças à cirurgia plástica e de fazer progressos pessoais ao consumir cultura, tudo isto contribui para a noção de que a felicidade está à venda. Malcolm Forbes teve uma frase célebre: «Se pensam que o dinheiro não pode comprar a felicidade, é porque fazem compras nos sítios errados.»

Este tipo de convicção contribui apenas para aumentar a nossa frustração e encerra-nos ainda mais nas prisões que construímos para nós próprios. Isso é pensar na vida como uma lotaria. Justificamos às vezes o jogo dizendo que a esperança se vende. Os crédulos alinhados durante horas diante das máquinas dos casinos a gastarem o dinheiro que não podem, sem qualquer oportunidade de ganhar, discutem sem fim a forma como irão gastar os seus milhões. Isto não é «esperança», é sonhar. Tenho tendência a não deixar que os meus doentes falem sobre a mudança que vão efectuar nas suas vidas se não tomarem medidas concretas. Pergunto-lhes muitas vezes se têm a intenção de concretizar os seus novos projectos ou se é simplesmente um desejo. Pode ser divertido formular estes desejos, mas não devemos confundi-los com a realidade.

À excepção das conversões religiosas, toda a alteração das nossas atitudes e do nosso comportamento é o resultado de um processo lento de que não nos apercebemos. Analisemos de perto as evasões bem-sucedidas das prisões, e veremos que houve muita imaginação, horas de planeamento e muitas vezes meses, até anos, para alcançar a liberdade. Não somos obrigados a admirar as pessoas que tiveram êxito nesses feitos, mas o seu talento e determinação são uma lição para todos nós.

Um dos elementos mais difíceis de avaliar em alguém que deseje começar uma psicoterapia é o seu desejo real de evoluir e a vontade que é necessária para fazê-lo. Algumas pessoas têm outras razões para procurar ajuda, além do desejo de mudar realmente a sua existência. Vivemos numa sociedade que tornou a queixa uma das grandes formas de expressão pública. As ondas de rádio e os tribunais estão cheios de vítimas disto e daquilo: abuso infantil, erros cometidos pelos outros, infortúnios diversos. Os comportamentos conscientes foram reclassificados como «doenças» para que as pessoas afectadas possam ser objecto de pena e, se possível, de indemnização. Não é de admirar vermos muitas dessas pessoas aparecerem nos consultórios dos psiquiatras à espera de encontrar um ouvido simpatizante e a indicação de um medicamento que alivie a sua angústia. Muitas vezes querem extorquir um depoimento de apoio para um processo em curso ou serem proibidos de trabalhar. Não estão lá para se engajarem no processo difícil de examinação das suas vidas, para assumirem a responsabilidade das suas emoções, para decidirem medidas a tomar para serem felizes e pô-las em prática.

Para clarificar o papel que estou disposto a desempenhar aquando da primeira consulta, peço aos doentes para assinarem uma carta, da qual se segue um excerto: *Não vou envolver-me em conflitos de trabalho, em processos judiciais, em litígios sobre a guarda de uma criança, em*

avaliações de invalidez ou noutros processos jurídicos ou administra-
tivos, incluindo justificações de interrupção do trabalho ou pedidos de
mudança das condições de trabalho. Se precisar de um atestado médico
para qualquer uma das razões acima expostas, terá de o procurar nou-
tro lado; estou aqui para fornecer apoio terapêutico.

As pessoas imaginam que formular pensamentos, desejos e intenções pode produzir nelas uma mudança real. Esta confusão entre palavras e acções é prejudicial para o processo terapêutico. A confissão
pode, de facto, fazer bem à alma, mas, se não for acompanhada de uma
mudança de comportamento, não passa de palavras no ar. Somos uma
espécie dotada da palavra e gostamos de transmitir os nossos pensamentos mais ínfimos. (Lembra-se da última vez em que ouviu alguém
falar a um telemóvel?) Damos demasiada importância às promessas.

Acontece-me frequentemente apontar uma contradição entre o que
um doente diz querer e aquilo que realmente faz. De cada uma das
vezes, ele mostra-se surpreendido e às vezes indignado por eu não
acreditar nas suas intenções, mas prefiro concentrar-me na única coisa
fiável: o seu comportamento.

«Amo-te» é provavelmente a frase que as pessoas confusas mais
dizem umas às outras. Ansiamos todos por ouvir essa mensagem
poderosa e tranquilizadora. Considerada isoladamente, porém, não
acompanhada por um comportamento amoroso, trata-se com frequência de uma mentira — ou, mais piedosamente, de uma promessa com
pouca possibilidade de ser cumprida.

A disparidade entre aquilo que dizemos e aquilo que fazemos não
prova que somos hipócritas, uma vez que costumamos acreditar nas
nossas boas intenções. Atribuímos simplesmente demasiada atenção
às palavras — nossas e dos outros — e pouca às acções que realmente
nos definem. As paredes das nossas prisões pessoais são compostas,
em partes iguais, pelo nosso medo do risco e pelo sonho de que um
dia o mundo e as pessoas irão estar em conformidade com os nossos
maiores desejos. É difícil deixar partir uma ilusão reconfortante, mas
mais difícil ainda é construir a felicidade a partir de percepções e
crenças que não correspondem à realidade que nos rodeia.

12

É difícil interessarmo-nos pelos problemas dos idosos

A velhice confere alguns direitos; muitas vezes é sob este aspecto que a consideramos. Após longos anos de trabalho, o aposentado tem alegadamente direito ao lazer, à segurança social e a descontos. Todavia, estas prerrogativas são uma magra compensação, uma vez que o estatuto das pessoas idosas é desvalorizado. Consideramos os velhos como enfermos do corpo e do espírito e raramente nos parece que possam dar um contributo à sociedade, para além do seu papel continuado como consumidores.

A nossa vontade de os isolar em instituições ou em comunidades da terceira idade diz muito acerca da pouca consideração que temos por eles. Estamos convencidos de que têm pouco a ensinar-nos e fazemos tudo para ter o menor contacto possível com eles. Como constatamos em muitas minorias, o facto de eles próprios participarem nesta segregação mostra até que ponto se sentem estigmatizados. A sua capacidade de conduzir — ou seja, de conservar a sua autonomia — é alvo de muito humor e faz ocasionalmente parte de preocupações oficiais. (Sabiam que na Florida os carros novos estão agora a ser vendidos com um aparelho que faz automaticamente virar um carro se o pisca funcionar mais de vinte segundos?) A nossa luta contra o envelhecimento faz prosperar a indústria dos cosméticos em cento e vinte e dois mil milhões de euros por ano, um valor bastante superior ao orçamento de outras prioridades nacionais, como a educação, a manutenção das estradas ou a defesa. O desenvolvimento da cirurgia plástica, a banalização das injecções de toxina botulínica e a aversão generalizada às rugas e à calvície sugerem que o processo normal de envelhecimento provoca na maioria das pessoas um medo próximo do pânico.

O que tememos é a nossa própria morte e os sinais de envelhecimento recordam-nos, de forma inoportuna, que somos mortais. Ao rejeitarmos as pessoas idosas e ao apagarmos os sinais da idade estamos simplesmente a reagir a um receio de extinção natural que atormenta os seres humanos desde o início dos tempos. Isto é uma farsa à escala cósmica. O destino, Deus ou quem manda nisto tudo, parece ter dito: «Dou-vos o poder de dominar todas as outras formas de vida, MAS sereis a única espécie capaz de imaginar a morte.»

E qual é a reacção das pessoas idosas a esta marginalização e a esta desvalorização? A cólera. Não basta terem de suportar os preconceitos que vêm com a idade — uma diminuição da libido, o declínio da saúde, a morte de amigos de longa data, uma perda progressiva da acuidade intelectual —, também têm de suportar diariamente o desdém que a sociedade reserva aos indivíduos sem poder ou sem um emprego remunerado.

Assim, só lhes resta queixarem-se. Na organização complexa da nossa sociedade, a cada grupo é atribuído um papel. Cabe aos adolescentes, por exemplo, imporem-nos as suas imprudências ao volante, os seus gritos e a sua utilização imoderada de expressões como «brutal». Os nossos idosos parecem por vezes existir para irritar o resto da humanidade com a sua lentidão e os seus problemas de saúde.

A vida tem um lado simétrico: ao envelhecermos, regressamos lentamente à infância. Este regresso a um estado egocêntrico e dependente é deprimente para todas as pessoas envolvidas. Como e a que velocidade isso ocorre define o que aprendemos ao longo dos nossos anos na Terra. Uma das razões para o nosso medo de envelhecer é o facto de o exemplo dado por aqueles que partiram antes de nós ser, em geral, desastroso. Salvo algumas excepções, as famílias com quem falo consideram os seus familiares idosos um fardo e acham que os idosos não têm nada a oferecer aos jovens no âmbito da sabedoria e da experiência. Há uma razão para isso: *as pessoas mais velhas passam muitas vezes o seu tempo a lamentar-se sobre si próprias.*

Muitas pessoas de meia-idade falam dos pais com um sentimento de obrigação ao qual se mistura o desânimo. O envelhecimento torna--nos mais vulneráveis à depressão e recusamos muitas vezes tratá--la nos idosos. Algumas pseudo-explicações substituem um parecer médico: «Eu também estaria deprimido se fosse tão velho.» Ou então os depressivos têm tendência a centrar-se em si próprios, a estarem irritadiços e a serem desagradáveis com aqueles que os rodeiam.

Como não esperamos grande coisa de ambos os lados, instala-se uma espécie de confronto: os idosos desempenham o seu papel de eternos rezingões enquanto os jovens os ouvem de má vontade e tentam cumprir as suas obrigações para com os pais e avós evitando ao máximo as relações autênticas. A segregação dos velhos que vivem hoje separados dos jovens e a sua colocação num temido lar são dois indicadores comuns de exclusão e marginalização que acompanha a velhice.

A estratificação da sociedade em grupos etários divide as pessoas de forma ainda mais rígida que a educação, o dinheiro e a classe social. Os idosos ainda razoavelmente activos aceitam migrar para climas mais quentes onde formam comunidades de reformados de onde são muitas vezes excluídas pessoas abaixo de uma certa idade, geralmente os cinquenta anos. A Florida e o Sudoeste são os seus destinos mais comuns nos Estados Unidos.

Esta auto-segregação permite-lhes dedicarem-se a actividades que não exigem um grande esforço intelectual e que associamos ao enve-lhecimento: o bingo, o *shuffleboard*, o golfe e a ginástica, que con-siste, diríamos, em movimentos demasiado lentos para terem algum efeito sobre o corpo. Daí resulta que os seus contactos com os jovens sejam praticamente inexistentes, para além das visitas obrigatórias da família. Falha igualmente a estimulação intelectual, que, como já foi provado, pode retardar o aparecimento da demência senil.

O queixume (que muitas vezes deixa entrever o abandono), que é o registo habitual de muitos idosos, afecta de forma negativa o diálogo entre gerações. Conheço muitas pessoas que receiam os telefonemas dos pais e, especialmente, a resposta deles à pergunta: «Como estás?»

O que pode haver de menos interessante e de mais desanimador do que um rosário de queixumes, dores, problemas intestinais debitado no tom lamuriento de quem percebe que aquilo de que padece está para além da cura e só irá piorar?

A meu ver, a paternidade é um compromisso voluntário que não acarreta uma reciprocidade da parte dos jovens: estes não têm obrigação de conformar as suas vidas à vontade dos pais, nem de ouvir intermináveis protestos sobre a devastação do tempo. Na verdade, sou de opinião de que os velhos têm o dever de sofrer os danos da idade com o máximo de graciosidade e de coragem possível e evitar impor os seus problemas àqueles que os amam.

Ao longo da vida, uma das tarefas principais dos pais consiste em transmitir aos jovens confiança no futuro. Independentemente de todas as outras responsabilidades, o mais belo presente que podemos dar à geração seguinte é a convicção de que é possível alcançar a felicidade apesar do sofrimento e da incerteza inerentes à existência. Como todos os valores que queremos ensinar aos nossos filhos — a honestidade, a importância do empenho, a empatia com o próximo, o respeito, o amor ao trabalho —, a esperança, o mais precioso de todos, é transmitida pelo exemplo.

Muitos idosos dizem ter a sensação desagradável de serem invisíveis, como outras minorias. Os vendedores ignoram-nos nas lojas, a cultura popular propõe-lhes modelos de si próprios pouco atraentes, as pessoas da sua família não lhes telefonam nem os visitam a não ser por obrigação. Acima de tudo, ninguém leva em conta aquilo que têm para dizer. É este aspecto, o já não serem ouvidos, que os irrita mais. A conversa atrozmente aborrecida que os idosos costumam impor aos jovens é uma espécie de retaliação contra a perda de importância e a sensação de irrelevância que muitos sentem.

«Envelhecer não é para maricas!» Esta declaração descreve bem a situação difícil que vivem as pessoas de idade numa sociedade obcecada pela juventude. A nossa derradeira obrigação é talvez suportar com dignidade os golpes físicos e psicológicos que acompanham a velhice.

Será possível manter a esperança face aos danos infligidos pelo tempo? Tal como a coragem não é uma virtude distribuída igualmente pelos jovens, não podemos esperar que esteja uniformemente repartida pelos idosos. Contudo, reconhecemo-la e valorizamo-la quando a vemos. É a nossa aptidão para contemplar a morte iminente com serenidade que nos permite, finalmente, mostrar a nossa coragem.

Se, ao cair do pano, conseguirmos conservar o nosso bom humor e o interesse pelos outros, a nossa contribuição para as gerações futuras terá um valor inestimável. Teremos, assim, cumprido o nosso dever final para com eles e expressado a nossa gratidão pelo dom da vida que recebemos sem merecer e de que usufruímos tanto tempo.

13

Não há maior perigo do que a felicidade

As pessoas depressivas têm naturalmente tendência a concentrar-se nos seus «sintomas»: tristeza, perda de energia, distúrbios de sono, alterações do apetite, diminuição de capacidade para o prazer. É normal que tenham vontade de fazer desaparecer estas causas de sofrimento através de medicamentos e da psicoterapia. Acontece-me por vezes, no entanto, em particular quando os meus esforços para melhorar o seu estado parecem ineficazes, redireccionar a atenção dos meus doentes para a possibilidade de poderem tirar vantagens da sua depressão.

Um dos benefícios é ser uma posição segura. Podemos dizer o mesmo, evidentemente, do pessimismo crónico, que é muitas vezes precursor da depressão e também uma manifestação sua. É difícil desiludir pessimistas; eles já têm poucas ilusões e são, portanto, imunes a surpresas tristes. Como esperam pouco da sua existência, raramente são enganados. Quando lhes dou a entender que as nossas expectativas, boas ou más, são geralmente satisfeitas, mostram-se cépticos, uma vez que estão habituados a antecipar o pior.

Pedir a alguém que renuncie à sua depressão é muitas vezes mal acolhido. Ser feliz é correr o risco de perder a felicidade. Tudo o que realizamos e que tem significado para nós comporta riscos: na invenção, na exploração ou no amor. Vivemos numa sociedade alérgica ao risco. Uma formidável quantidade de tempo e energia é dedicada a promover a «segurança» em tudo o que fazemos. Aprendemos a colocar os nossos cintos de segurança, a fechar as portas à chave, a não fumar, a fazer um exame médico anual e a consultar os nossos médicos antes de fazer o menor exercício. Preocupamo-nos com o tempo, vivemos obcecados com a segurança dos nossos filhos, vivemos em casas protegidas com sistemas de alarme e armamo-nos contra os intrusos.

As ameaças que as gerações anteriores consideravam naturais, como a mortalidade infantil, as doenças infecciosas ou as catástrofes ambientais, não são coisas que preocupe actualmente a maioria das pessoas. Preferimos deixar essas preocupações a outros — aos polícias, aos bombeiros, aos soldados, aos atletas — e deixá-los correr os riscos que temos medo de correr. O cinema e a televisão fornecem do heroísmo uma representação espectacular e fazem-nos viver por procuração todos os tipos de excitação; fornecem também exemplos distorcidos do que significa ser corajoso. A violência, o poder e a coragem são inevitavelmente misturados nessas representações, mas têm pouca relevância nas nossas vidas.

É muitas vezes difícil persuadir as pessoas infelizes a correrem os riscos necessários para alterar as atitudes e comportamentos que contribuem para o seu desânimo crónico. A minha profissão, a psiquiatria, favoreceu este fenómeno ao tratar a depressão como uma perturbação molecular e ao confiar nas soluções farmacológicas. Fomos encorajados (e coagidos) a seguir esta via pelas companhias de seguros, que têm vindo a reduzir os reembolsos da psicoterapia.

E o que é a psicoterapia? É um meio ao serviço de um objectivo: a mudança. É isso que querem as pessoas que nos vêm consultar: *mudar*. Em geral, querem alterar o seu estado emocional: deixarem de se sentir ansiosas, tristes, desorientadas, irritadas, vazias, à deriva. É principalmente a interpretação que fazemos do que se passa em nós e à nossa volta, das nossas atitudes. Não é tanto o que ocorre, mas como o interpretamos e reagimos que determina os nossos sentimentos. As pessoas em dificuldade psicoafectiva são caracterizadas por terem perdido, ou julgarem ter perdido, a sua capacidade de escolher os comportamentos que as farão felizes.

Imaginem uma pessoa de tal forma invadida pela angústia que é incapaz de continuar a viver normalmente. Cada decisão a tomar é avaliada em função de um nível de ansiedade que irá aumentar ou diminuir. Ao ponto de, à força de evitar a todo o custo situações ansiosas, as escolhas diminuírem, a vida encolher. Isto reforça a ansiedade e faz com que a pessoa tema não algo externo, mas a própria ansiedade. As pessoas nesta situação têm medo de conduzir, de ir às compras, às vezes até mesmo de sair de casa. Chegados a este estado, alguns pacientes preferem retirar-se do mundo do que sentirem-se tão limitados nas suas escolhas na vida. O mesmo tipo de recolhimento acompanha a depressão grave.

O trabalho do psicoterapeuta consiste em voltar a incutir o gosto pela vida. Pergunto frequentemente aos pacientes: «O que é que lhe apetece?» Se a angústia ou a depressão os dominam, muitas vezes não têm resposta para me dar. Os mais desesperados, claro, pensam em pôr fim à sua existência.

Confrontado com um suicida, raramente tendo fazê-lo mudar de opinião. Peço-lhe antes que reflicta sobre o que é que, até agora, o dissuadiu de pôr fim à vida. Em geral, este exame implica descobrir as ligações que prendem a pessoa à vida, apesar de um sofrimento psíquico quase insuportável. É simplesmente impossível negar a cólera associada à decisão de matar-se. O suicídio é uma espécie de maldição permanente que ameaça aqueles que nos amam. É, não restam dúvidas, a derradeira afirmação do desespero, mas é também uma declaração para os mais próximos de que o seu carinho por nós e o nosso carinho para eles não foi suficiente para conseguir viver outro dia. Pessoas vítimas do desespero estão, naturalmente, muito preocupadas consigo próprias. O suicídio é a expressão suprema deste egocentrismo. Em vez de apenas falar na pena e no medo que os suicidas provocam nos que os rodeiam, incluindo nos terapeutas, penso que seria bom confrontá-los com o egoísmo e a cólera implícitos em qualquer acto de autodestruição.

Poderá esta abordagem impedir alguém de se matar? Algumas vezes. Em trinta e três anos de prática da psiquiatria só falhei este argumento uma vez. Uma jovem mãe de duas crianças, a sofrer de uma depressão desencadeada por um divórcio doloroso, matou-se no dia em que devia entrar no hospital. Como ela não apareceu na consulta, levei a polícia à sua casa e encontrámos o corpo. As fantasias que eu acalentara toda a vida sobre ser capaz de controlar a vida de um ser humano desesperado abandonaram-me naquele dia.

E depois, muitos anos mais tarde, recebi um telefonema a dizer que o meu querido filho Andrew, de vinte e dois anos, pusera fim a três anos de luta contra a psicose maníaco-depressiva ao matar-se. Ainda agora, treze anos mais tarde, não há palavras que contenham a dor que nunca mais me abandonou desde aquele terrível dia. Para os pais, enterrar um filho é uma ofensa à ordem natural da vida. Num mundo justo, isso nunca aconteceria; no nosso acontece.

Quando Andrew renunciou ao seu longo combate contra o deses-pero, deixou atrás de si muitas pessoas que o amavam. Nas suas recordações, mistura-se a alegria que ele lhes trouxe e a eterna tristeza de sua morte. Quando folheei um dos seus diários, deparei com uma redacção escrita quando ele tinha nove anos. Eis uma passagem:

Eram cerca das 14.30 horas e o meu pai e eu estávamos a correr há mais de uma hora. Avançávamos agora contra o
vento e eu pus-me atrás dele para me proteger.
Estávamos a competir contra 200 outros atletas
Era uma prova difícil, com muitas colinas íngremes. Nos últimos
 dois quilómetros aumentámos o ritmo e ultrapassámos vários
 atletas.
Quando chegámos à pista, faltava-nos percorrer metade do está-
 dio e depois acabámos a meia maratona.

Ele era um excelente aluno, representante da turma no secundário, e tinha sido eleito para o conselho estudantil quando se manifestaram os primeiros sintomas da sua doença. Suportou três hospitalizações; o seu humor oscilava entre uma desorganização maníaca e uma depressão negra. Imagino que a perspectiva de escapar à angústia aliviou os seus últimos instantes. Rezo para que tenha finalmente encontrado a paz que procurava. Só esta esperança me permitiu supor-tar a minha própria dor e continuar a viver.

A sua doença é como um vento gelado que se levantou e do qual nenhum de nós podia protegê-lo, acabando por levá-lo. Ele escolheu deixar-nos antes do tempo, mas sei que nos amou como nós o amávamos. Perdoei-lhe ter-me destroçado o coração, imaginando que ele me perdoou todos os erros de pai. Quando me lembro do seu riso ouço a letra de uma velha canção de Tom Paxton:

> *Vais partir sem uma palavra de adeus?*
> *Não restará qualquer vestígio?*
> *Eu podia ter-te amado melhor,*
> *Não quis magoar-te.*
> *Sabes, esse foi o meu último pensamento.*

14

O verdadeiro amor é a maçã do Paraíso

É na história bíblica da queda e da expulsão do Paraíso que Adão e Eva definiram para sempre as características que nos tornam humanos: a curiosidade, a fraqueza e um desejo mútuo entre homem e mulher que transcende a nossa lealdade a Deus. O que tinha de irresistível aquele fruto, pelo qual valia a pena trocar um estado de pura beatitude, simultaneamente perfeito e imortal, por uma vida de vergonha e de trabalho? («Comerás o pão no suor do teu rosto.»)

De certa forma, o homem, no curso normal do seu desenvolvimento, reproduz a história da queda. A infância é uma série de desencantos que fazem progredir do mundo da inocência para a dura realidade. Uma a uma deixamos para trás as nossas ilusões: o Pai Natal, a fada dos dentes, a perfeição dos nossos pais e a nossa imortalidade. Abandonamos estas ideias de infância confortáveis e tranquilizadoras para substituí-las pelo sentimento de que, por causa de Adão e Eva, a vida é uma luta marcada pelo sofrimento e pela perda e que acaba mal.

Quando pensamos nisso, é notável que, em vez de sucumbirmos ao desencorajamento e ao desespero face a uma tal situação, persistamos em tentar retirar felicidade da nossa breve passagem pela terra. E como sugere o Génesis, de todos os meios tentados para o conseguir, nada nos aproxima mais da felicidade do que ligarmo-nos uns aos outros.

Mark Twain, na sua obra intitulada *Diário de Eva*, coloca estas palavras na boca dela após a queda: «Quando olho para o passado, o Paraíso parece-me um sonho. Era de uma beleza surpreendente e encantadora; e agora está perdido, e não mais tornarei a vê-lo, não mais. Perdi o Paraíso, mas encontrei-o, a *ele*, e estou feliz.»

Ninguém pode, como eu, ver diariamente a tristeza provocada pelo amor perdido sem se tornar um pouco cínico em relação aos métodos empregues por alguns para escolherem aqueles a quem vão ligar a sua existência. Pergunto às minhas doentes: «Este homem era completamente diferente no momento em que decidiu que queria passar a sua vida com ele e que queria que ele fosse o pai dos seus filhos? Não houve qualquer indício de dúvida sobre a sua lealdade, a sua constância, o seu amor por si?» Esta pergunta suscita debates que revelam, uma e outra vez, a falta de profundidade e a estupidez da nossa juventude.

A causa talvez seja a falta de bons exemplos com que crescemos. Os meus doentes raramente admiram o que os pais demonstravam um ao outro à laia de carinho e compromisso. Frequentemente, aquilo que observaram na geração anterior torna-os cépticos em relação à possibilidade de viver um amor duradouro.

A ironia é que possamos apaixonar-nos sem nenhuma justificação. Segundo o consenso geral, o processo que nos faz sucumbir à sedução de outra pessoa é enigmático e não necessita de qualquer explicação. As pessoas falam da atracção física, da partilha de interesses, de uma «química» misteriosa que as puxa uma para a outra e as leva a tomar a decisão de partilharem as suas vidas. As pessoas que as rodeiam aceitam isto e lançam-se na organização complexa e dispendiosa do casamento que irá celebrar a sua vida conjunta. Quando, por outro lado, as pessoas *deixam* de estar apaixonadas, insiste-se na procura de uma explicação: O que aconteceu? De quem é a culpa? Porque não arranjaram forma de se entenderem? «Já não nos amávamos» não é, na maioria dos casos, uma resposta suficiente.

Em grande medida, trata-se de um problema de educação. Seria de esperar que uma área tão importante do comportamento humano seria objecto de alguma consideração nas escolas. Simon e Garfunkel, na sua canção *Kodachrome*, resumem assim os seus anos no ensino secundário: «Quando penso em todos os disparates que aprendi na escola, é de admirar que ainda seja capaz de pensar.» Entre o ensino de matérias com um interesse marginal como a trigonometria, o desenho industrial e a sempre popular saúde, procuramos em vão uma aula sobre o comportamento humano e a personalidade que forneça informações úteis sobre a forma de evitar erros catastróficos na escolha dos amigos e namorados. Como em tantos outros aspectos da existência, a importante tarefa que consiste em saber escolher por quem nos apaixonarmos vai ser aprendida por tentativa e erro. Se ao menos as tentativas não fossem tão dolorosas.

Imagino uma disciplina construída em torno do tema geral «A busca da felicidade». Começaria com um debate sobre a definição de amor. Em seguida viria uma apresentação sucinta sobre os transtornos de personalidade, que abrangeria a descrição psicológica dos indivíduos mais susceptíveis de destroçar um coração. No capítulo seguinte, intitulado «Qualidades necessárias para ser um bom cônjuge», falaria da bondade e da empatia, assim como da forma de identificar estas virtudes.

Finalmente, convidaríamos como intervenientes externos pessoas que tivessem passado por um divórcio doloroso, bem como casais que vivessem juntos há bastante tempo e fossem felizes. Seria necessário escolher estes últimos com cuidado. Ao ouvir as respostas dadas à inevitável pergunta sobre «o segredo de um casamento bem-sucedido» por pessoas idosas que tenham vivido cinquenta, sessenta ou mais anos juntas, parece-me que podemos pôr no cimo da lista a capacidade de suportar o tédio. Banalidades como «nunca fomos para a cama zangados» ou «gostamos da moderação em todas as coisas» traduzem uma filosofia mais orientada para a sobrevivência do que para o prazer. Onde se esconde, perguntamo-nos, a ideia de um amor infinito e sempre a renascer?

Se podemos aprender algo com a espectacular queda de Adão e Eva é que a união de duas pessoas nos faz esquecer todas as inconveniências da nossa condição humana: a necessidade de trabalhar, os «espinhos e os cardos» e a consciência da nossa mortalidade. O que continha então aquele fruto proibido cujo gosto justificou a ira de Deus? «O Paraíso está perdido, mas encontrei-o, a **ele**, e estou contente.»

15

É tudo uma questão de paciência

As pessoas em busca de uma mudança imaginam normalmente que pode passar-se de um estado ao outro e que isso se consegue rapidamente. Assim que se determinar o programa a seguir, deveria apenas passar-se à acção. Este tipo de milagres é raro e isso é uma fonte de perplexidade para muitos.

Os comportamentos mais resistentes a mudanças são aqueles que envolvem algum tipo de dependência: alcoolismo, tabagismo, toxicodependência. Neste caso, a pessoa parte do princípio de que um processo químico abranda os seus esforços para fazer aquilo que sabe ser melhor para si. Os sintomas de carência, que se manifestam quando ela tenta deixar de beber, de fumar ou de consumir outras substâncias nocivas, confirmam a sua convicção de que é vítima de uma carência física mais forte que a sua vontade e impossível de vencer sem a ajuda de uma assistência específica.

O que pensar dos outros vícios aparentes como a bulimia e o jogo (aos quais se juntaram recentemente o sexo e as compras compulsivas)? Aqui, a dependência é manifestamente menos química, mas quem já tentou controlar a ingestão de alimentos ou o desejo de fazer uma aposta pode asseverar que isso se afigura difícil.

É a força do hábito que está aqui a funcionar. O que torna cada um de nós um ser único raramente resulta de uma escolha racional. Às vezes, é claro, fazemos boas escolhas para a nossa saúde, como praticar exercício físico com regularidade. Mas os nossos maus hábitos instalam-se sub-repticiamente ao longo do tempo e torna-se extremamente difícil desalojá-los, mesmo quando ameaçam destruir a nossa vida.

Entre estes comportamentos inadaptados e que nos são prejudiciais podemos contar as nossas formas habituais de nos relacionarmos com os outros. Conseguimos mais ou menos criar ou manter relações e isso depende bastante da forma como nos apresentamos aos outros. A maior parte do tempo, aquilo a que chamamos a nossa «maneira de ser» não resulta de uma escolha consciente, mas sim inata ou com origem na nossa infância. Como não temos consciência disso, não podemos mudar nada, mesmo que estes traços da nossa personalidade nos sejam mais prejudiciais do que benéficos.

Qualquer processo que vise modificar, mesmo que ligeiramente, padrões de pensamento e comportamento bem arreigados é um empreendimento de grande envergadura que exigirá esforços de introspecção, de reavaliação e obrigará a tentar novas maneiras de ser. Uma tal mudança leva tempo, mesmo na melhor das circunstâncias.

O mesmo é verdadeiro para todas as outras características da nossa personalidade e para os hábitos de comportamento que só nos prejudicam mas que estamos sempre a repetir: a impulsividade, o hedonismo, o narcisismo, a irritabilidade e a necessidade de controlar aqueles que nos rodeiam. Imaginar poder corrigir essas características da noite para o dia ou logo que tomamos conhecimento delas não leva em conta a força do hábito e a lentidão com que adoptamos um novo comportamento.

Quando pensamos em coisas que podem alterar as nossas vidas num instante, quase todas são más: telefonemas durante a noite, acidentes, perda do emprego ou de entes queridos, conversas com médicos portadoras de más notícias. De facto, se exceptuarmos o golo marcado no último segundo, uma inesperada herança, ganhar na lotaria ou uma revelação divina, o que surge de repente raramente é uma boa notícia. Praticamente tudo o que fazemos para tornar mais felizes as nossas vidas leva tempo, geralmente bastante tempo, como aprender coisas novas, mudar velhos comportamentos, construir relacionamentos satisfatórios, criar os filhos. É por esta razão que a paciência e a determinação estão entre as principais virtudes do ser humano.

Numa sociedade baseada no consumo, a gratificação instantânea é uma ideia contagiosa. A publicidade apresenta-nos constantemente imagens que sugerem que a felicidade pode ser alcançada através da posse de bens materiais. Pessoas, sempre atraentes, divertem-se rodeadas de muitos amigos, sugerindo que poderíamos estar a fazer o mesmo se comprássemos o carro correcto, a casa certa, a cerveja indicada. O objectivo desses anúncios é deixar-nos insatisfeitos com o que temos e com quem somos. Sugerem-nos também que podemos remediar rapidamente o nosso descontentamento a gastar dinheiro. É de admirar que quase todos tenhamos dívidas?

Toda uma série de milagres que alegadamente curam males modernos é também alvo de grandes promoções. O telespectador médio pode pensar que estamos em plena epidemia de depressão, de alergias diversas, de artrite, de refluxo gastroesofágico. Ao menor espirro, à menor dor, é prometida uma cura fácil através da tomada de um comprimido.

Terá sido a invenção do automóvel, ou do avião, ou do telefone que fez de nós, a determinada altura, seres impacientes que esperam respostas rápidas para todas as suas dificuldades? A nossa predilecção pela tecnologia, que parece eficaz no controlo do nosso universo físico, teve algumas consequências lamentáveis quando aplicada a outras áreas. Para citar um exemplo que falará àqueles que se recordam da década de 1960, ao mesmo tempo que mandava construir os foguetões que nos levariam à Lua, John Kennedy implicou-nos no maior e mais dispendioso fiasco da História da América: a Guerra do Vietname. Na História do século XX, isso foi uma falha do coração, do espírito e da tecnologia.

Ainda somos encorajados a crer que, nas nossas sociedades ocidentais, um regime alimentar adaptado, um pouco de exercício físico e uma utilização judiciosa de *Botox* e de cirurgia plástica podem retardar espectacularmente o processo de envelhecimento. Esta busca moderna da eterna juventude trai uma falta de aceitação do nosso destino comum. Tentar suprimir as marcas do tempo que fazem de

68

nós mortais tem qualquer coisa de superficial e de desesperado. (Com o advento destes estilos de vida saudáveis, em breve os hospitais estarão cheios de velhos prestes a morrerem de nada.)

A capacidade de contemplar o futuro é uma das coisas que nos torna humanos. Se queremos suportar o terrível peso do tempo com graciosidade ou resignação, temos de aceitar as perdas inevitáveis que a vida nos impõe. A primeira destas perdas é a da nossa juventude. Se envelhecer nos parece uma desvalorização, a vida torna-se um processo desencorajador marcado por tentativas desesperadas de parecermos e agirmos como os jovens. A experiência acumulada, que nos dá compensações certas pelo conhecimento e pela perspectiva que confere, é descartada.

Temos dificuldade em fixar a nossa atenção; os acontecimentos movem-se com grande rapidez. As nossas recordações são, por conseguinte, limitadas e concentramo-nos no alvo. Só nos interessa um número limitado de pessoas maioritariamente jovens, bonitas e ricas que enchem as páginas de uma das revistas baptizadas com justeza: *People.* Se elas são as «pessoas», o que somos nós? O que significa ser obscuro num mundo preocupado com a fama, por muito imerecida que seja? Enquanto nos avaliarmos e avaliarmos os outros por aquilo que temos e pela aparência, a existência será inevitavelmente uma experiência desanimadora, caracterizada pela ganância, pela inveja e pelo desejo de ser alguém.

Construir tem sido sempre um processo mais lento e mais complicado do que destruir. Outrora fui soldado. O que me afastou do Exército *não* foi o eu não gostar de fazer rebentar as coisas. Na verdade, receio que tenha gostado demasiado disso. O que acabei por compreender, e não suportar, é que é preciso muito menos inteligência para matar do que para preservar a vida. A luta entre os assassinos e os artesãos da paz determinará o futuro da humanidade. Podemos sempre encontrar justificações para matar, elas são muitas vezes religiosas. Porém, como em qualquer outra coisa na vida, é pelos actos que nos definimos, não pela causa que usamos para justificar o acto.

Esta tensão entre a facilidade e o esforço equilibra-se no nosso quotidiano. Acreditar na nossa súbita transformação, no excelente resultado, desvia-nos da tarefa mais exigente e que não apresenta resultados imediatos: tornarmo-nos a pessoa que desejávamos ser.

É aqui que intervém o tempo, a paciência e a reflexão. Se acharmos que é melhor construir do que destruir, ser do que parecer, viver e deixar os outros viverem, podemos ter uma oportunidade de, lentamente, encontrar um rumo conveniente na vida, aquela centelha de consciência entre dois grandes silêncios.

16

Perder-se para melhor se encontrar

Os nossos semelhantes são pessoas lineares. Preferem os objectivos visíveis e escolhem o caminho mais recto até eles. O nosso sistema educativo indica o rumo, passo a passo, para as nossas trajectórias pessoais. Devemos seguir as regras claras que implicam obediência à autoridade, trabalhar bastante e ter espírito de cooperação. As ideias originais são valorizadas, mas no limite do que é tolerado pelas estruturas hierárquicas nas quais somos educados. Ensinam-nos a fazer o que nos é dito, até passar tempo suficiente para sermos autorizados a dizer aos outros o que fazer.

De todas as coisas que definem o indivíduo, nada parece ter mais correlação com o êxito do que a educação. Não é de admirar, portanto, que durante a infância e a juventude sejamos instados a trabalhar bem na escola e a considerar os nossos diplomas sucessivos como etapas necessárias para viver confortavelmente. Existe uma promessa implícita neste processo: «Obedeça às instruções, agrade aos outros, siga as normas e a felicidade será sua.»

Encontro muitas pessoas, sobretudo homens, que, por volta dos cinquenta, acham que foram enganados pela vida. Beneficiam frequentemente de um emprego estável, são proprietários das suas casas, têm a mulher necessária e os 2,2 filhos exigidos pelas estatísticas e sentem-se perdidos. Uma grande parte daquilo que desejaram parece-lhes agora um fardo. Estão preocupados com o que podem ter perdido.

Um dos domínios frequentemente negligenciados numa vida de percurso linear, dirigida para um objectivo, é o sexo. Numa cultura onde ele é uma verdadeira obsessão, praticamente ninguém acha ter recebido a sua parte. Isto é particularmente sensível nos homens ensinados pela sociedade a competirem pelas mulheres mais atraentes e cuja imagem que têm de si próprios está intimamente ligada às suas competências sexuais. Como explicar de outra forma a crise de identidade tradicional na qual os homens de uma certa idade têm amantes e compram carros desportivos? Aqueles afectados por ela falam muitas vezes de adolescências inibidas, casamentos precoces, trabalho insatisfatório e o desejo de levar uma existência menos tépida.

Nas décadas de 1960 e 1970, a juventude exprimiu a sua revolta ao marginalizar-se. Muitos destes jovens, desiludidos com o mundo moldado pela busca materialista dos pais e horrorizados com o desastre da guerra no Vietname, recusaram-se a seguir a via traçada para o êxito. Esta «contracultura» foi temida e odiada pela geração mais velha, que se concentrou na música que não era capaz de entender, no consumo de drogas que condenou e numa liberdade sexual que deplorava e simultaneamente invejava.

O facto de estes jovens rebeldes se terem tornado mais tarde empregados de escritório como os pais não retira importância àquilo que aprenderam e nos transmitiram da forma mais agradável possível. Há muito tempo, Stephen Vincent Benét exprimiu-o desta forma: «Porque o dinheiro é pessimista e o espírito da razão astuto, mas a juventude é o pólen que sopra através do céu sem perguntar porquê.»

Existe ainda hoje um núcleo de jovens aventureiros que estão dispostos a interromper os seus cursos universitários para descobrirem o mundo, juntando-se ao Exército ou a uma ONG e educando-se por vias não disponíveis nas salas de aula. Mais tarde na vida surgem as mudanças de emprego, as desavenças conjugais, as experiências espirituais. Todas estas formas de «errância» que parecem afastar-se da norma podem simplesmente manifestar a coragem de correr riscos na sua luta para alcançar a felicidade e dar um sentido à sua existência.

Na década de 1960 chamava-se a isto «tentar encontrar-se». (Um pai cínico sugeriu que, no decurso de uma procura especialmente prolongada, o filho tivera tempo de encontrar várias pessoas.) Mesmo que a linha recta pareça ser a distância mais curta entre dois pontos, a vida tem um prazer cruel em enganar a geometria. Muitas vezes, são os devaneios e os desvios que nos determinam. Não existem mapas para guiar as nossas buscas mais importantes: devemos abrir-nos para o imprevisto e confiar na esperança, no acaso e na intuição.

17

O amor não recíproco nada tem de romântico

Fundamentalmente, sofrer de um amor que não é correspondido é correr atrás do inacessível. Quem, de entre nós, não sentiu já o seu aguilhão? Aos namoricos sem amanhã da infância e da adolescência sucedem-se, na idade adulta, a procura do parceiro perfeito. A esperança de encontrar a pérola que nos valorizará e nos completará, e cujo amor irá aquecer o nosso coração na velhice, é uma fantasia poderosa que raramente se realiza.

Buscamos no outro a aprovação incondicional de um bom pai, a última palavra em segurança afectiva. Se tivemos isso em crianças, queremo-lo de novo. Os outros que não tiveram, os mais numerosos, desejam utilizá-lo como um escudo contra um mundo incerto, muitas vezes indiferente. O nosso desejo de sermos aceites tal como somos é tão forte que às vezes temos necessidade projectar a nossa necessidade de amor noutro e nada receber em troca.

Na sua versão mais triste, estas paixões têm por alvo desconhecidos. Muitas estrelas de cinema são frequentes objecto de uma adoração relativamente à sua aparência ou às personagens que encarnam. A sua vida privada é sistematicamente invadida por admiradores fanáticos convencidos de poderem inspirar sentimentos recíprocos se lhes derem uma oportunidade. Às vezes, estas emoções frustradas tomam um rumo mais inquietante. Os fantasmas inspirados por Jodie Foster em John Hinckley dão-nos a todos uma lição sobre o poder do amor não correspondido: para a impressionar, ele atentou contra a vida de Ronald Reagan em 1981.

A fronteira entre amor romântico e obsessão é com frequência pouco nítida. A diferença essencial é que a obsessão alimenta-se a si própria e não precisa de ninguém para existir. É um parente próximo da ilusão, uma crença falsa que revela uma mente perturbada. O que diferencia o amor, partilhado ou não, é que se trata de uma forma de admiração que não pode confundir-se, por exemplo, com a convicção de estar a ser seguido ou perseguido pelo governo. Esta última é uma crença pouco agradável e egocêntrica. Suspirar por alguém que não podemos ter possui, como o sonho, uma qualidade idealista que seduz a nossa necessidade humana de esperar contra todo o desespero.

A um passo das obsessões perigosas do perseguidor encontramos o amor que não morre nunca. Ele existe muitas vezes nas mulheres vítimas de maus tratos e naquelas para quem uma relação moribunda ainda é objecto de meditação — e de um monólogo — sem fim. Ouvi muitas histórias começarem por: «Ele magoou-me, deixou-me, mas ainda o amo.» Proclamar assim a sua devoção eterna a alguém é uma forma de conferir dignidade ao que poderia ser confundido com um masoquismo desprovido de qualquer atracção.

O «amor à primeira vista», uma outra fantasia muito popular, embora desatenta, prepara-nos para as grandes decepções. O desencadeamento súbito de emoções e o poder de atracção quase espiritual que provoca não deixam lugar para o nascimento de uma amizade susceptível de evoluir para uma relação mais profunda e mais estimulante. Esta última exige tempo, atenção e um certo grau de racionalidade. É verdade, podemos também ser invadidos por um sentimento menos fácil de descrever e de explicar que o facto de partilharmos interesses comuns e de manifestar por essa pessoa uma «atracção sexual», mas isso não significa que «ficar apaixonado» se assemelhe a lançarmo-nos de um precipício no escuro.

O que dá força ao amor é ele poder ser *partilhado*. Experimentado sozinho, será talvez intenso, como o é qualquer forma de solidão, mas tem poucas hipóteses de durar ou de servir para qualquer coisa; também lhe falta interesse pelos outros. Existe uma organização mítica de celibatários baptizada com o nome de Sexo sem Parceiro. Constam entre os seus membros muitas vítimas do amor não correspondido. A adesão é gratuita e participar nas actividades não obriga a sair de casa.

18

Mesma causa, mesmo efeito

Errar é humano e desempenha um papel essencial na aprendizagem pela experiência. Dos nossos erros, poucos são irremediáveis, mas alguns são mais graves do que outros. É frustrante constatar que repetimos sempre os mesmos. Esta repetição é particularmente evidente na forma como as pessoas escolhem aqueles com quem têm intimidade. Alguém descreveu o segundo casamento como o triunfo da esperança sobre a experiência. Podemos logicamente esperar que as lições aprendidas no primeiro casamento facilitem esse processo no segundo. Infelizmente, a taxa de insucesso nos casamentos posteriores ultrapassa os cinquenta por cento, ou seja, é superior às nossas primeiras experiências matrimoniais quando, jovens, nos lançamos de maneira irreflectida numa relação de casal.

A lição a retirar destes números é que, de um ponto de vista filosófico e comportamental, diferimos pouco aos quarenta da pessoa que éramos aos vinte. Isso não significa que os anos decorridos não nos ensinaram nada. Ao longo deste período, a maior parte das pessoas termina os seus estudos e a seguir constrói a sua carreira profissional. Bastante ocupados, não aprendemos nada a nosso respeito nem sobre as razões que nos fazem escolher viver com esta ou com aquela pessoa.

Aprender não consiste tanto em acumular respostas mas em descobrir a forma de formular boas perguntas. É por isso que a psicoterapia é um vaivém de perguntas e respostas. Contrariamente ao que muitos pensam, trata-se de uma exploração conjunta, não de um truque do terapeuta para levar o cliente numa direcção conhecida. Este trabalho de investigação sobre as nossas motivações, os nossos padrões de pensamento e comportamento tem por objectivo estabelecer ligações entre o nosso passado e o presente na busca do melhor meio para alcançar os nossos fins.

Muitos dos nossos actos, senão mesmo a maior parte, são movidos por motivações inconscientes. Como gostamos de nos considerar seres racionais com comportamentos lógicos, achamos desconcertante ter de reconhecer que as necessidades, os desejos e as acções de que temos apenas uma percepção vaga e que estão relacionados com o nosso passado, muitas vezes com a nossa infância, influenciam a nossa conduta no quotidiano.

Por exemplo, o «esquecimento» pode ser interpretado como a manifestação do inconsciente em alguns dos nossos actos descritos como distracção. Por que motivo os consultórios dos dentistas telefonam regularmente aos doentes a lembrá-los das consultas? Porque ir ao dentista é, para a maioria, uma experiência desagradável. É comum, portanto, as pessoas tenderem a «esquecer» as suas consultas. Outros esquecimentos — de um aniversário, do nosso aniversário de casamento, do nome de alguém, de uma promessa feita e não cumprida — são também reveladores de atitudes inconscientes difíceis de admitir abertamente.

A escolha das pessoas com quem estamos não foge a esta regra. *Praticamente toda a acção humana é uma expressão da forma como pensamos a nosso respeito.* Poucos comportamentos são «neutros» do ponto de vista dos afectos. Recordo com frequência aos pacientes que existe um critério que permite avaliar todas as decisões importantes: «Como me sinto?» Em particular, como me sinto com esta pessoa? Como a personagem encarnada por Jack Nicholson no filme *Melhor É Impossível*, poderei dizer «fazes-me querer ser um homem melhor»?

A repetição dos nossos erros é particularmente flagrante nas cenas familiares onde se representam vezes sem conta os mesmos dramas, o que sugere uma longa prática. Uma pergunta que faço muitas vezes quando um paciente me descreve um conflito clássico conjugal é: «Como achou que iria ser a conversa se disse isso?» Se formos até ao início de qualquer discussão, podemos quase sempre encontrar uma pista (uma crítica ou um insulto) que explique o que provocou no outro uma hostilidade previsível. Por exemplo, um paciente contou--me recentemente que uma manhã reagira a uma queixa da mulher respondendo: «Pára com as lamúrias!» Como seria de esperar, o dia começou mal e o ambiente piorou ao longo do dia. Se perguntar ao meu interlocutor porque sentiu necessidade de abrir as hostilidades, a resposta tem muitas vezes um tom defensivo ou de retaliação: «Tenho o direito de me defender, não?»

É surpreendente ver como os nossos relacionamentos mais próximos acabam por lembrar uma luta de poder que opõe dois inimigos íntimos. A sensação de ter um destino comum desapareceu, sendo substituída por uma batalha diária em que o objectivo consiste em conservar uma certa auto-estima, aparentemente ameaçada pela pessoa que melhor nos conhece. Quem quereria viver assim, num estado de hipervigilância e de rivalidade, por causa de uma aposta obscura até para os próprios adversários?

E, no entanto, quando se pede às pessoas que deixem de fazer os comentários aviltantes que estão na origem de muitos conflitos conjugais, elas transferem para «o outro» a responsabilidade de mudar, um pouco como nos conflitos internacionais em que todos querem a paz, mas ninguém aceita ser o primeiro a terminar as represálias com medo de ficar vulnerável.

No cerne deste cepticismo esconde-se a desconfiança. Ela está, ao que parece, também em muitos relacionamentos. Neste género de situação, utilizo um argumento do género: «O que tem a perder por tentar?» Respondem-me muitas vezes: «Durante quanto tempo devo tentar?» Seria melhor perguntarem-me: «Porquê viver com alguém em quem não confio?» Mas esta pergunta raramente é feita, uma vez que põe em causa todas as razões que fizeram duas pessoas partilharem a sua vida, ao longo dos anos, sem serem felizes: o dinheiro, os filhos, o medo de estarem sozinhos e a simples inércia explicam que ainda estejam juntos.

A triste verdade é que a maioria das pessoas não levanta muito a fasquia em matéria de felicidade. É como se a ideia, como o Pai Natal e a fada dos dentes, não passasse de um mito que foi desacreditado pela realidade. Consideram toda a felicidade duradoura um ideal romântico desenvolvido pela indústria do espectáculo. Não tem mais relevância para as suas vidas do que as casas de milhões de dólares ou os aviões particulares. Esta desilusão é um grande obstáculo para a mudança, uma vez que ninguém irá correr riscos no plano afectivo para seguir objectivos considerados inacessíveis.

Encorajar um ser humano a mudar envolve-nos tanto como a ele; é uma mesma esperança que se partilha. Mesmo aqueles que professam o mais profundo cinismo a respeito da sua própria vida desejam algo melhor para os filhos. Invoco muitas vezes este argumento para pôr as pessoas a experimentarem coisas novas. Baseio-me aqui na convicção de que a maior parte do que as crianças sabem sobre a vida foi aprendida a observar os pais. Apoio-me nesta ideia para tentar persuadir os pacientes a tentarem, no interesse dos filhos, definir exemplos de bondade, de tolerância e de conciliação.

É aqui que intervêm os esquemas repetitivos de comportamentos com resultados previsíveis. As pessoas têm algum conhecimento do método experimental e do princípio de causalidade para se darem conta de que, se a sua atitude no passado suscitou resultados insatisfatórios, talvez valha a pena considerar uma nova abordagem. Dou a este argumento uma moldura mais pragmática do que teórica: «Não tenho respostas aplicáveis a todos os casais, acredito naquilo que funciona. O que está a fazer neste momento não funciona. Porque não tenta outra coisa?»

19

A verdade apanha-nos sempre

Aos trinta e quatro anos fiz psicanálise no âmbito da minha preparação para o internato. Um dia, o meu analista informou-me que eu era adoptado. Eu estava, naquele momento, deitado no divã, em plena «associação livre» a propósito de uma conferência a que tinha assistido. Um grupo de adultos adoptados falara aí da busca dos seus pais biológicos. O meu analista perguntou-me o que faria eu no lugar deles e eu respondi que certamente os procuraria. Ele disse-me então:

— Pode começar a procurar.

— O que está a dizer? Que sou adoptado?

— Sim.

— Como diabo sabe?

Por incrível que possa parecer, ele devia a informação à violação de um segredo profissional. O psicólogo da minha mulher, da qual eu estava separado, encontrara o meu analista numa festa e tinham conversado. Perguntou-lhe:

— O doutor Livingston sabe que é adoptado?

— Nunca mencionou isso — respondeu o meu analista.

Acontece que a minha mulher soubera isso muitos anos antes por amigos da família, mas considerara que cabia aos meus pais contarem-mo ou não. Discutiu o assunto com eles, mas eles recusaram-se a contar-me. Então ela contara ao seu psicoterapeuta, que contara ao meu. Este arranjara forma de o aflorar numa das nossas sessões, o que não fora fácil, porque a troca entre analista e analisado não se assemelha nada a um diálogo. Estar-lhe-ei sempre grato por ter tido a coragem de fazê-lo.

Na altura achei a notícia desconcertante. Os meus pais nunca haviam mencionado o assunto. Eu tinha-me às vezes perguntado por que motivo o meu pai, um fotógrafo apaixonado, nunca me tirara fotografias antes da idade de um ano. Também me perguntara porque nascera em Memphis, quando eles viviam em Chicago. O meu pai trabalhava para o governo e explicou-me que estavam no Tennessee numa missão temporária. A minha certidão de nascimento oficial, que os designava claramente como meus pais, era, claro, falsa.

A minha mãe morreu pouco antes de eu descobrir que era adoptado. A conversa com o meu pai foi difícil. Oscilei entre a cólera — ele havia-me enganado — e a compreensão — ele receava que, se eu soubesse, me tornasse menos *seu* filho. Verdade seja dita, sentia-me animado com a ideia de descobrir a quem estava biologicamente ligado, e um pouco aliviado pelo facto de a minha herança genética não me ir fazer parecido com ele. Senti-me livre, curioso e leve. O meu pai recordava-se pouco dos pormenores da adopção e jurou que nunca soubera o meu nome verdadeiro. Esta declaração também se revelou falsa.

Fui até Memphis onde contratei um advogado. Graças aos seus conhecimentos locais, em menos de nada obteve o meu dossiê de adopção, o qual fora lacrado pelo tribunal há muitos anos. O registo continha o nome que me deram à nascença, David Alfred Faulk, e o nome da minha mãe, Ruth. Ele soube que eu tinha caído nas garras do Tennessee Children's Home, uma organização conhecida pelo seu «comércio» de bebés sob a batuta de um juiz corrupto que fornecia atestados de abandono. A agência tinha colocado crianças com pais abastados em todo o país. Telefonei ao meu pai e perguntei-lhe quanto tinha pago por mim. Muitas pessoas perguntam-se aquilo que valem, mas eu sei: quinhentos dólares.

O advogado aconselhou-me a confiar-lhe o trabalho de pesquisa. «O senhor não sabe o que vai encontrar. Alguns desses bebés são filhos de pacientes do hospital psiquiátrico.» Eu sentia-me capaz de lidar com qualquer realidade. Também estava convencido de que saber valia mais do que não saber.

Comecei por encontrar elementos da família de acolhimento onde passara o meu primeiro ano de vida. Ao abrir a lista telefónica de Memphis, eu tinha apenas um apelido. No décimo telefonema que fiz, quando expliquei quem era, ouvi o homem do outro lado da linha virar-se para alguém e dizer: «Olha, mãe, é o Bo.» A matriarca era uma senhora octogenária que, quando a visitei, me mostrou uma fotografia minha, de estúdio, na qual eu devia ter cerca de seis meses. O marido tivera uma estação de serviço. Nenhum dos filhos fora para a faculdade. Tentei imaginar-me com um sotaque do Tennessee e um fato-macaco de mecânico com «Bo» escrito no peito. Toda a família se reuniu para me cumprimentar. Disseram que a minha mãe biológica, que me deixara com eles, era de Vicksburg, no Mississípi.

Comecei a telefonar para todos os Faulk da lista telefónica de Vicksburg e não tardei em falar com a irmã da minha mãe. Daquela vez apresentei-me como filho de um amigo e perguntei onde estava a Ruth. A sua irmã disse-me que ela morava em Atlanta e trabalhava numa editora. Fui até Atlanta e telefonei-lhe. Disse-lhe quem era e que gostaria de conhecê-la. Quando a porta do andar se abriu, vi uma mulher muito parecida comigo. Perguntou-me: «Porque demoraste tanto?»

Professora oriunda de uma família religiosa, engravidara de um homem que recusou casar com ela mas propôs-lhe pagar um aborto ilegal. Ela recusou, viajou até Memphis, deu à luz e deixou-me lá, tencionando, disse, voltar. Quando finalmente ligou para a agência, era tarde de mais. Nunca casou, «não sentia ter esse direito». Dava aulas na primária e decidiu ir mudando de turma todos os anos para ensinar o nível em que eu devia estar. Nunca se perdoou por «não ter estado à altura». Gostou de saber que as coisas me tinham corrido bem. Agradeci-lhe por me ter dado a vida.

Claro, eu queria saber quem era o meu pai biológico. Ruth deu-me o seu nome. Tinha morrido poucos anos antes, deixando uma filha. Descobri onde ela morava e telefonei-lhe. Eu, filho único, tinha finalmente uma meia-irmã. Ela ficou contente por me ouvir, mas vim a saber que também era adoptada e que queria ir à procura dos *seus* pais biológicos.

Somos aparentados, nós que somos filhos do mesmo pai? O que devia ele ter pensado, incapaz de conceber um filho com a mulher ao mesmo tempo que carregava o segredo de um filho ilegítimo? A filha mandou-me uma fotografia. É tudo o que tenho dele. Sei como os filhos dos soldados mortos devem sentir-se ao olhar para fotografias dos pais de que não se lembram ou que nunca conheceram. Imagino discernir tristeza nos olhos do meu. Se ao menos pudesse falar com ele um instante, dizer-lhe que tudo tinha corrido bem, que alguma coisa saíra do seu erro de juventude. Se não posso amá-lo, gostaria de poder apaziguá-lo.

20

A política da avestruz não é
uma boa solução

A autenticidade é uma qualidade prezada. Embora obrigados a desempenhar no quotidiano vários papéis, gostaríamos de nos comportar como pessoas inteiras, fiéis aos nossos valores. A maioria de nós também dá bastante importância à forma como é vista por aqueles cujas opiniões respeita.

Há poucos atributos humanos que suscitem mais desprezo do que a hipocrisia. Pessoas cujas acções contradizem o discurso tornaram-se objecto de escárnio. A maioria dos escândalos que enchem as páginas das revistas e dos jornais é baseada numa contradição entre discurso e conduta: pastores adúlteros, políticos desonestos, moralistas toxicodependentes, padres pedófilos. Face a tais indivíduos, a cólera iguala o fascínio; este último alimenta-se da nossa má consciência de não conseguirmos conformar o nosso comportamento às ideias que defendemos. O que diriam as pessoas se soubessem?

Mas há pior do que a dissimulação de embaraçosos lapsos morais: as interpretações que nos permitem desculparmo-nos. Estamos regularmente a invocar teorias baseadas no papel do acaso, das coincidências ou dos actos falhados para explicar comportamentos que não queremos examinar de perto. Por exemplo, hoje em dia são os *e-mails* comprometedores deixados no computador da família que traem numerosos adúlteros. (Trata-se de uma variante do método mais tradicional do diário-deixado-onde-pode-ser-lido.)

A negação é uma outra maneira de mentirmos a nós próprios. As pessoas dependentes do álcool afirmam correntemente que não têm um problema e podem parar a qualquer momento, alegações contraditas pelas acções que indicam um declínio catastrófico das suas vidas: conduzir em estado de embriaguez, casamentos desfeitos, perdas de emprego. Digo muitas vezes a essas pessoas que é compreensível que possam sentir necessidade de mentir aos outros, mas mentir a si próprias priva-as da possibilidade de tomar as medidas necessárias.

Conheço um homem que batia regularmente na mulher à noite durante um sonho agitado de que nunca se recordava com clareza. Como a sua conduta era «acidental», nunca dava lugar a uma reflexão real sobre a natureza da relação. Menos grave, milhões de casais dormem em quartos separados porque um deles ressona. Será que podemos censurar um comportamento tão inconsciente?

Entre as mentiras mais prejudiciais figuram as promessas. «Nada é mais bonito que uma promessa logo depois de a termos feito.» As resoluções de Ano Novo são efémeras, toda a gente o sabe. As boas intenções não se contentam em encher o inferno, distraem-nos da tarefa séria de avaliar o que somos e aquilo que realmente queremos. Se gastamos o tempo a imaginar um ideal, em matéria de beleza ou de evolução pessoal, despendemos a nossa energia e desviamo-nos dos objectivos mais sérios e acessíveis.

Embora ninguém possa negar o papel do acaso na vida, atribuir-lhe a maior parte do que nos acontece é uma forma de preguiça. Uma vez mais, trata-se de não assumir a responsabilidade e de preferir as desculpas fáceis a um difícil exame de consciência. Esta forma de cegueira não leva a nada. Claro que ocorrem acidentes. Se alguém é atingido por um raio num campo, é difícil considerá-lo responsável. Pelo contrário, se for atingido enquanto se abrigava sob a única árvore à vista, então podemos interrogar-nos sobre o que aprendeu na escola.

Somos diariamente confrontados com exemplos de mortes estúpidas. Conduzir alcoolizado, doenças relacionadas com o tabagismo e a obesidade, o disparo acidental de armas de fogo... todos passámos por isso e lembra-nos a nossa vulnerabilidade face aos nossos piores impulsos. O que pensam as pessoas destes riscos? Se colocamos em perigo as nossas vidas por outra pessoa ou por um ideal, estamos a agir de forma corajosa. Mas, como observou Sancho Pança a Dom Quixote: «Morrer sem uma boa razão é o pior dos pecados.»

A verdade pode não nos libertar, mas não há maior loucura do que mentirmos a nós próprios para retirar apenas uma satisfação passageira. Uma tal ilusão parece ser apenas uma desonestidade benigna; mais ninguém foi enganado ou lesado. Porém, as decisões que não se baseiam na realidade só podem ser más. Ter uma imagem clara de nós é, sem dúvida, impossível, tal como o é chegar ao fim de um dia sem ter encontrado, pelo menos uma ou duas vezes, a justificação para os erros cometidos. É quando há um conflito entre o que queremos ser e o que somos verdadeiramente que a dissonância cognitiva nos atinge, tornando-nos surdos e cegos.

21

A crise dos quarenta

Na vida, não existe motivo de insatisfação mais banal do que acreditar que fizemos a escolha errada do parceiro quando éramos novos. Isso gera por vezes a fantasia de que existe algures a pessoa que nos vai salvar com o seu amor. Esta ilusão está na origem da maior parte das infidelidades, típicas dos casamentos infelizes.

Segundo certas estimativas, entre os quarentões casados o adultério é cometido por 50%-65% dos homens e 35%-45% das mulheres. Numa sociedade onde a monogamia é o valor conjugal dominante, estes números indicam não só uma grande hipocrisia mas também um elevado grau de insatisfação nos casais. Que procuram as pessoas fora do casamento?

O que procuram, para além de variedade, é serem tranquilizadas. Em alguns aspectos, a procura do prazer é uma resposta ao nosso medo da morte. Ao envelhecermos e tentarmos encontrar uma solução para o nosso desejo fútil de nos mantermos jovens e aspirar à imortalidade, acabamos por procurar experiências que nos confortam com a noção de que ainda somos sedutores. Que melhor maneira de nos persuadirmos disso do que ter uma aventura amorosa?

Um processo saudável de maturação permite-nos acreditar que somos excepcionalmente valiosos e que somos sempre dignos de amor. Mas este é o resultado ideal; frequentemente, temos de procurar de forma mais ou menos desesperada alguém que nos ame incondicionalmente e aceitamos mal que isto seja considerado uma exigência demasiado grande. Raramente obtemos esta aprovação dos nossos cônjuges e isso é uma fonte de descontentamento que permanece por exprimir na maioria dos casamentos.

O que passa por amor entre adultos assemelha-se com mais frequência a um tipo de contrato de prestação de serviços tácito. Tradicionalmente, isso toma a forma de um acordo implícito que torna os homens responsáveis pela segurança financeira, enquanto as mulheres devem ocupar-se da casa, educar os filhos e contentar sexualmente o marido. O movimento feminista conduziu a uma renegociação do contrato, tendo em conta o desejo das mulheres de trabalharem fora de casa e de não assumirem a responsabilidade exclusiva pela educação dos filhos e pelas tarefas domésticas. Este progresso louvável no sentido da igualdade entre homens e mulheres teve por efeito secundário um aumento do ressentimento e da rivalidade em muitos casamentos.

O credo feminista declara que o poder se obtém pela luta e que ninguém renuncia a ele de bom grado. Esta atitude não é uma receita para uma maior proximidade. Quando combinada com um aumento da independência financeira das mulheres, talvez não seja coincidência que um em dois casamentos termine agora em divórcio. De um certo ponto de vista, essa mudança parece ser uma coisa boa. Reduz os riscos de as pessoas ficarem presas numa relação insatisfatória. Qualquer evolução social que aumente as nossas escolhas é um progresso; então porque a vivemos neste caso como uma perda importante?

Primeiro, há os prejuízos para as crianças. Tranquilizarmo-nos a pensar que é melhor para elas adaptarem-se à separação dos pais do que partilhar a vida de um casal que não se entende é uma má justificação de adultos preocupados com a sua própria felicidade. Está provado: o divórcio dos pais faz nascer nas crianças uma grande tristeza e um terrível sentimento de insegurança. Na maior parte do tempo, os pais contribuem para isto continuando a recriminar-se. O facto de as crianças serem capazes de lidar com qualquer alteração à sua vida não muda a amplitude do desastre e da desilusão.

É por esta razão, a que se juntam considerações financeiras, que, a maior parte do tempo, o casal infiel não tem em mente o divórcio, embora o adultério acabe por conduzir até ele. A certo nível, trata-se de uma espécie de promiscuidade comum a quase todas as espécies animais. Porém, a infidelidade é também a expressão especificamente humana da ansiedade e do desejo. A busca do amor ideal é ao mesmo tempo um sinal de imaturidade e a expressão das angústias da meia--idade. É raro a infidelidade melhorar a nossa existência; pelo contrário, é frequente que semeie a ruína. Isso não nos dissuade de tentar.

Há muito tempo, Joan Baez cantou: «Partes em busca do desconhecido perfeito...» A canção chamava-se *Fonte de Tristeza*.

22

O amor para além da morte

Perdi dois filhos. No espaço de treze meses, o meu filho mais velho suicidou-se e o mais novo sucumbiu a uma leucemia. A dor ensinou-me muitas coisas sobre a fragilidade da vida e a irrevogabilidade da morte. Perder aquilo que para nós é mais precioso faz-nos sentir profundamente a nossa impotência e ensina-nos a sobreviver. Depois de ter sido despojado de quaisquer ilusões de controlo sobre a minha existência, faltava-me determinar as perguntas que ainda valia a pena fazer. Apercebi-me rapidamente que as mais óbvias — Porquê os meus filhos? Porquê eu? — eram tão inúteis como inevitáveis. Qualquer referência à ideia de justo e de injusto era absurda.

Encontrei razões para continuar a viver graças aos meus companheiros de sofrimento, às pessoas que me eram mais chegadas e às outras que, como eu, tinham também sofrido perdas irremediáveis. Como todos os que choram a perda de um ser amado, fui tomado de um ódio pela expressão «fazer o luto», que subentende que a tristeza é um processo limitado no tempo após o qual todos recuperamos. A ideia de poder chegar um dia em que deixaria de sentir a falta dos meus filhos era obscena para mim e descartei-a. Tive de aceitar que nunca mais seria a mesma pessoa, que parte do meu coração, talvez a melhor parte, havia sido arrancada e enterrada com os meus filhos. O que ficou? Eis uma *pergunta* que merece reflexão.

Gregory Peck, numa entrevista muitos anos após a morte do filho, disse: «Não penso nele todos os dias; penso nele todas as horas de todos os dias.» Com o tempo, a natureza destes pensamentos altera-se: as imagens dilacerantes da doença e da morte desvanecem-se e são substituídas por recordações mais doces sobre o que foi a vida do desaparecido.

O sofrimento é um tema que acabei por conhecer bastante bem. Na verdade, foi a preocupação principal da minha vida ao longos dos anos. Escrevi um livro sobre isso, tentando fazer a visita à pergunta. Descobri que não existe uma maneira de a contornar, somos obrigados a atravessá-la. Ao longo desta viagem conheci o desespero, contemplei o suicídio e aprendi que não estava sozinho. Convencido de que não poderia encontrar conforto nas palavras, acabei por me dar conta de que elas, as minhas e as do outros, eram a única coisa que me restava para enquadrar a minha experiência, primeiro o meu desespero e, finalmente, a frágil convicção de que a minha vida ainda tinha sentido.

Treze anos mais tarde, se bem que o tempo tenha parado para eles, os meus filhos continuam a ser para mim uma presença viva. Consegui, em grande parte, perdoar-me por não ter podido salvá-los. Reconciliei-me com a ideia de envelhecer sem eles. Eles não irão enterrar-me, como eu julgara. Abandonei qualquer crença num universo ordenado e num Deus justo. Mas não renunciei ao meu amor por eles, nem ao meu desejo tenaz, contra toda a razão, de voltar a vê-los.

É a isto que podemos chamar esperança: aqueles que perdemos evocam em nós sentimentos de amor de que não nos sabíamos capazes. São o seu legado, a dádiva que nos dão. É nossa tarefa, para nos mantermos fiéis à sua memória, transferir esse amor para aqueles que ainda precisam de nós.

No casamento da minha filha, pedi emprestados a Mark Helprin alguns pensamentos e fiz os seguintes votos:

O amor entre pais e filhos depende enormemente do perdão. As nossas imperfeições tornam-nos humanos e sermos capazes de aceitá-las nas pessoas que nos são mais chegadas e em nós compensa o sofrimento a que o amor nos expõe. Em momentos felizes como este celebramos o milagre do encontro de duas pessoas decididas a criar novas vidas. Se o amor pode verdadeiramente vencer a morte, é apenas através do exercício da memória e da devoção. Memória e devoção... Graças a elas, o vosso coração, mesmo destroçado, continuará a encher-se e vocês ficarão no combate até ao fim.

Ser autoritário não é educar

Isto talvez não mereça a pena ser mencionado, no entanto é interessante observar a quantidade de reprimendas e de conselhos na comunicação entre pessoas chegadas. Pergunto algumas vezes aos pais de crianças difíceis de avaliar, nas conversas que têm com estas, a importância das reprimendas ou das ordens (estas últimas sendo uma variação das primeiras) e peço que as traduzam em percentagem. Costumo ouvir números como oitenta e noventa por cento! Às vezes, o que não nos surpreende, estes números aplicam-se à forma como os pais comunicam entre si.

Como tendemos a reagir a ordens? Para a maioria de nós, o ressentimento transformado em obstinação é a reacção mais comum. A recusa pode ser clara e evidente («não vou fazer isso») ou passivo--agressiva («esqueci-me»), mas o resultado comum é a frustração. Os americanos não são obedientes. Descendemos de pessoas que empreenderam viagens perigosas em busca de liberdade e estavam dispostas a grandes sacrifícios para defender essa noção. Estamos geneticamente programados para questionar a autoridade.

Ainda assim tentamos dizer aos outros o que fazer. O nosso desejo de controlo e uma convicção íntima de que temos sempre razão faz--nos esquecer que ordens são ordens e que elas são em geral mal recebidas, ainda que sejam bem-intencionadas. Isto é especialmente verdade nos pais. Mesmo numa sociedade como a nossa, que venera a criança e a coloca num pináculo, os adultos continuam persuadidos de que sabem melhor do que ninguém como «guiar» os filhos para que eles se tornem, graças ao seu potencial superior à média, estudantes brilhantes, atletas de excepção, e exemplos do êxito americano.

Peço muitas vezes aos meus doentes em conflito com os filhos que se *abstenham de criticar* aqueles que os rodeiam para ver se isso muda a atmosfera familiar. Esta sugestão tem para muitas pessoas o efeito de uma revolução. Parecem pensar o seguinte: «Vai ser o caos se eu deixar de criticar e orientar. Não serão feitas as tarefas domésticas, a louça irá acumular-se, os quartos não serão arrumados, a casa irá cair, os trabalhos de casa serão ignorados. Ao insucesso escolar seguir-se-á o consumo de drogas, depois uma gravidez não desejada e uma vida de delinquente. Não posso deixar isso acontecer!» Imaginando assim o pior, qualquer flexibilização nas normas ou na vigilância é o primeiro passo em direcção ao fracasso, à degradação e ao colapso da civilização como a conhecemos.

Esta visão essencialmente pessimista da natureza humana está, em grande parte, na base do que passa por ser a referência em matéria de educação. Por exemplo, a idade dos dois anos tornou-se o momento em que o intenso egocentrismo da infância colide com a obrigação de os pais dizerem «não». E consideramos as cóleras que daí resultam na criança como uma preparação para os inevitáveis conflitos que a irão opor aos pais na adolescência para ganhar mais autonomia. Existe uma espécie de auto-satisfação na forma como os pais abanam as suas cabeças com ar entendido quando discutem entre eles estas etapas do desenvolvimento infantil. Neste domínio como em muitos outros, as nossas expectativas tornam-se geralmente realidades.

Outra forma de ver os conflitos que surgem entre pais e filhos é considerá-los escaramuças sobre um fundo de luta pelo poder. Isto nasceu da ideia falsa de que a principal tarefa dos pais é moldar o comportamento das crianças através de um ensino constante reforçado pela aplicação de regras e de castigos. Esta abordagem dá por vezes bons resultados, mas produz sobretudo crianças antagónicas que se tornarão adultos antagónicos.

A resistência passiva é o último refúgio dos dominados. Os trabalhadores de uma linha de montagem a quem a greve está interdita têm a *possibilidade* de abrandar a linha. As crianças, inferiores aos adultos no tamanho e na sua falta de maturidade, não podem opor-se aberta-mente a eles, mas podem manifestar o seu desacordo ao não fazerem o que lhes mandam. Trabalhar mal na escola, negligenciar as tarefas domésticas, ser extremamente lento ou ter uma tendência para ignorar todas as instruções são exemplos comuns de comportamentos pas-sivo-agressivos que enfurecem os pais. E a reacção mais frequente destes é continuar com os sermões, com as ordens e com os castigos num esforço para que «o miúdo ouça».

Pergunto muitas vezes às pessoas se realmente pensam que se trata de uma falta de compreensão da parte da criança. Será que acreditam que mais um sermão irá resolver a questão? Ou será que o problema reside na natureza coerciva, repetitiva e crítica da relação?

Não raro, as pessoas que dão muita importância ao facto de se fazerem respeitar pelos filhos têm as mesmas exigências em relação aos cônjuges. O clima conjugal consiste em quezílias e lutas de poder contínuas, com a impressão, de um lado e de outro, de não estarem a ser ouvidos. Também neste caso peço às pessoas que imaginem uma situação onde possam abster-se de críticas e de ordens. Uma pessoa habituada a dar listas de tarefas para executar terá dificuldade em considerar outras possibilidades («Ele esquece-se de tudo!»).

Geralmente, as pessoas têm esta atitude de juiz quando cresceram em famílias onde julgar constantemente e criticar era a norma, o que torna difícil vislumbrar uma outra forma de interagir com aqueles com quem se vive. Pedir a um paciente que tente mudar é esperar que altere hábitos de longa data. Este processo exige um esforço cons-ciente e um mínimo de boa vontade. Esta última é difícil de obter em relacionamentos onde a reprovação e a hostilidade são desde há muito os modos de defesa. É sempre mais fácil continuar a fazer aquilo que conhecemos, mesmo que isso não resulte.

A ideia de que é possível viver sem passar o tempo a dar opiniões e a dirigir toda a gente é uma grande novidade para muitas pessoas. Os que se deixam persuadir a parar este tipo de comportamento, mesmo por curtos períodos, experimentam habitualmente algum alívio. A crença na disciplina é semelhante ao conceito católico do pecado original, segundo o qual nascemos todos com uma mancha na alma que temos de lavar, com a ajuda dos nossos pais e da Igreja. Temos de ser salvos dos nossos impulsos mais ignóbeis. É em primeiro lugar o medo que nos faz submeter à autoridade, pois «o salário do pecado é a morte», dizem-nos. Esta é a razão pela qual a maioria dos credos fundamentalistas tem as práticas educativas mais rigorosas. O que está em jogo não é apenas o êxito ou o fracasso, mas a imortalidade da alma.

Crentes ou não, imaginamos mais ou menos todos que as crianças são ardósias em branco nas quais os pais escrevem as regras. A nossa missão é ensinar aos jovens tudo aquilo de que precisam para triunfar sobre as suas pulsões internas e sobre as influências externas que ameaçam destruí-los. Muitos adultos receiam não estar à altura desta missão e temem que os seus filhos acabem mal. Muitas vezes, ao esforçarem-se por serem bons educadores, tudo o que transmitem é a sua ansiedade, a sua insegurança e o seu medo do fracasso.

Para além de manter em segurança e de amar os nossos filhos, o principal objectivo da educação parental é transmitir-lhes a ideia de que podem ser felizes num mundo incerto, dar-lhes esperança. Fazemo-lo através do exemplo, mais do que através daquilo que lhes dizemos. Desempenhámos o nosso papel de pais se conseguirmos mostrar-nos responsáveis, determinados e optimistas naquilo que fazemos. Os manuais de educação podem servir de combustível para o lume da lareira. É impossível esperar que as crianças constantemente criticadas, intimidadas e que passam o tempo a ouvir sermões tenham uma boa imagem de si próprias e do seu futuro.

24

A doença não nos põe de «férias»

As pessoas que me vêm consultar estão numa grande aflição. Não vieram apenas para conversar. O custo da psicoterapia e o estigma associado a qualquer forma de distúrbio emocional confirmam que aqueles que procuram ajuda sofrem mesmo. Muitos ficam então surpreendidos quando lhes pergunto se as dificuldades que encontram apresentam alguma vantagem. Estão tão habituados a reter apenas os aspectos negativos do seu estado de ansiedade ou da sua depressão que nunca lhes ocorreu que possa haver uma contrapartida positiva no seu estado.

Uma das regras básicas de psicologia animal é que um comportamento persiste quando é encorajado e pára quando deixa de o ser. Um macaco puxará uma alavanca durante bastante tempo se for recompensado com alimentos, mesmo em intervalos intermitentes e imprevisíveis. Se a comida deixar de ser apresentada, ele acabará por deixar a alavanca. O mesmo se passa com as pessoas. Repetimos os actos que nos proporcionam alguma satisfação, mesmo que ela não seja sempre evidente.

De todos os fardos que pesam nas nossas vidas, às vezes o mais pesado é assumirmo-nos a nós próprios e as responsabilidades relativamente àqueles que amamos. As pessoas estão dispostas a suportar um quotidiano que as entorpeça, um emprego que odeiam e uma relação amorosa insatisfatória para agirem de acordo com as expectativas que têm de si próprias. Quando não há outras soluções possíveis, encontram na doença ou numa deficiência a única forma socialmente aceitável de abandonar o peso da responsabilidade, mesmo que apenas por pouco tempo.

Estarmos doentes quer dizer que não somos obrigados a levantar-nos todas as manhãs e fazer coisas que detestamos. Pelo contrário, somos convidados a «ir com calma». Para algumas pessoas presas na engrenagem e submersas em obrigações, o alívio que procuram na diminuição da pressão compensa as desvantagens causadas pela dor física e por um funcionamento mais lento.

A maioria das pessoas, naturalmente, não pensa nesses termos. Ao concentrarem-se apenas nas suas doenças, os meus pacientes recusam-se a ver o «ganho secundário» que podem retirar da sua situação. E, no entanto, especialmente nos casos em que o cônjuge doente os liberta de uma carga de trabalho importante e de outras responsabilidades, compreendemos que tenham o desejo de prolongar esta situação; é um encorajamento para ficar ou continuar doente.

Também é verdade que quanto mais tempo uma pessoa está incapacitada maiores são os riscos de que a sua doença se transforme numa parte da sua identidade, da sua forma de se ver. Esta é uma evolução perigosa na medida em que a imagem que temos de nós está gravada no nosso subconsciente e resiste à mudança. O trabalho do terapeuta consiste em trazer esses elementos subjectivos para o plano da consciência, onde poderão ser compreendidos e tratados.

Os diagnósticos psiquiátricos são, por necessidade, descritivos. Não temos a menor ideia do que torna uma pessoa vulnerável a uma ansiedade extrema. Na medida em que esta afecção se transmite no seio das famílias e pode ser tratada com medicamentos, é lógico concluir que ela é hereditária e tem uma origem biológica. A investigação genética acabará certamente por explicar os mecanismos químicos em jogo. No entanto, saberemos por que motivo irmãos, até gémeos verdadeiros, sofrem deste problema em graus diferentes?

As pessoas sentem-se impotentes face à doença física e isso é uma falha da medicina tradicional. Ela também tornou as pessoas dependentes dos médicos, cujo estatuto aumentou à custa da responsabilização do doente. O progresso da medicina somática e da cirurgia — a invenção dos antibióticos, de moléculas que controlem a diabetes, a hipertensão e todos os tipos de deficiências hormonais — tem contribuído para dar a impressão de que, longe de ser um processo activo, a cura é algo que nos acontece. Isto induziu uma espécie de passividade nas pessoas afligidas por uma doença física. Pela mesma razão, a descoberta, ao longo dos últimos cinquenta anos, de medicamentos eficazes no tratamento da ansiedade, da depressão e de algumas doenças psicóticas criou a expectativa, nas pessoas que sofrem destes problemas, de que tomar um comprimido será suficiente para aliviar a seu sofrimento.

Se os medicamentos merecem incontestavelmente um lugar no tratamento de uma infinidade de distúrbios emocionais, a psicoterapia conserva a sua importância para ajudar as pessoas a mudarem os seus sentimentos e comportamentos. A tradução das boas intenções em actos continua a pertencer ao processo terapêutico que é duradouro e pretende fazer reflectir. A mensagem essencial de uma tal empresa pode resumir-se assim: cada pessoa é responsável pelas escolhas que faz na sua interminável busca da felicidade. Ela não perdeu o seu poder como instrumento de metamorfose.

25

Temos medo das coisas erradas

A nossa sociedade promove o medo. A publicidade rege tudo e mais alguma coisa: aquilo que temos e não temos, o nosso aspecto, a nossa sexualidade... O consumidor insatisfeito está mais inclinado a comprar. Da mesma forma, os responsáveis pelos jornais televisivos tentam captar o nosso interesse assustando-nos com notícias de crimes violentos, catástrofes naturais, ameaças climatéricas e riscos ecológicos. («A água que bebe é potável? Não perca o desenvolvimento mais adiante nesta edição.»)

Uma das coisas que nos define é aquilo com que nos preocupamos. Como a vida se encontra cheia de incertezas e de desastres imprevisíveis, todos temos razões para estar angustiados. A lista dos nossos medos é longa e varia em função da informação com que somos bombardeados.

As pessoas ansiosas estão sujeitas a medos específicos. Na sua forma mais excessiva, eles tomam o nome de fobias. Imagine ter medo de ir ao supermercado, de andar de elevador, de conduzir um carro, de atravessar uma ponte... já para não falar em andar de avião. Cada uma delas representa uma fobia, um medo irracional, mas incapacitante. De certa forma, os fóbicos servem de sentinelas para aqueles cujos medos são evidentemente menos paralisantes, porém não menos reais. A reacção aos ataques terroristas de 2001 às Torres Gémeas é um bom exemplo daquilo que o medo colectivo pode fazer à população. As pessoas foram em massa vender as suas acções e deixaram de andar de avião. As companhias aéreas foram empurradas para a falência. Depois veio a ameaça do antraz; o público ficou com medo do correio que recebia e os fornecedores de máscaras de gás esgotaram os seus *stocks*. Os Estados Unidos, a «terra dos bravos», pareciam um hospital para ansiosos crónicos.

Quando, em 2002, um atirador furtivo começou a disparar sobre alvos escolhidos ao acaso, em Washington, praticamente desencadeou o pânico geral: as pessoas alteraram as suas vidas, os estabelecimentos de ensino cancelaram visitas de estudo para manterem as crianças protegidas. Ouvia-se o mesmo refrão em todo o lado: «Salvar uma vida justifica todas as precauções.» Ninguém a referiu, mas seguir esta lógica até ao fim implicaria nunca mais sair de casa.

Mesmo nos períodos tranquilos, exageramos os perigos da delinquência. Armamo-nos contra os intrusos míticos e recusamos aceitar a realidade: as vítimas mais prováveis do nosso arsenal serão os membros da nossa família. Entretanto, os riscos reais que ameaçam o nosso bem-estar — o tabaco, uma alimentação demasiado rica, não usar o cinto de segurança, a injustiça social e as pessoas que elegemos para conduzirem o país — provocam pouca ansiedade.

No plano pessoal, as fobias servem para mascarar os medos mais fundamentais e perturbadores — os que acompanham a solidão, por exemplo. Aquilo que nos aterroriza colectivamente tem uma função semelhante ao nível da nação. Com o espírito ocupado pela pneumopatia atípica, a doença das vacas loucas, a gripe das aves ou os roedores que nos podem atacar à noite, estamos menos disponíveis para prestar atenção à degradação ambiental ou ao desaparecimento progressivo das nossas liberdades civis; são problemas que nos imaginamos incapazes de solucionar. Até as guerras parecem ter pouco efeito sobre a ansiedade da população, excepto nas famílias com elementos em risco físico.

As nossas relações com os outros são caracterizadas pela desconfiança. Em vez de nos sentirmos ligados pelo mesmo destino e de partilhar a ideia de que podemos todos prosperar juntos, no sentido capitalista do termo, comportamo-nos como se a existência fosse uma competição que só podemos ganhar à custa dos outros. Vivemos com o medo de sermos processados. De certa forma posso dizer que cada um dos meus pacientes é um adversário potencial, no caso de a terapia não ter o efeito esperado. Noutras especialidades médicas sujeitas a erros bastante maiores e mais graves, como a obstetrícia, a cirurgia ou ainda os médicos das urgências, os prémios dos seguros profissionais atingiram um nível tal que alguns médicos estão a abandonar a medicina.

O que aconteceria se o nosso sistema jurídico decidisse deixar de indemnizar os danos corporais, em caso de acidente causado por um terceiro, e se limitasse aos danos materiais? No caso de ser necessário condenar uma multinacional por negligência grave, o dinheiro reclamado poderia tomar a forma de uma multa. Em vez de ir para a vítima ou para os seus advogados, aumentaria o «fundo indemnizador» destinado a compensar as pessoas confrontadas com despesas extraordinárias que não são culpa de ninguém (por exemplo, os pais de crianças nascidas com deficiências incapacitantes, vítimas de crimes ou catástrofes naturais). Certamente isso seria mais justo e mais útil do que contar com o resultado aleatório de um processo legal, que só enriquece quem ganha.

Um tal sistema teria a vantagem de reforçar o lado imprevisível da vida e o risco inerente ao facto de existirmos. Seria admitir que é possível indemnizar uma perda económica, mas que nenhum dinheiro pode (ou deve) compensar os golpes de azar que são o nosso destino comum.

Somos bombardeados por imagens de pessoas que tiveram êxito com pouco ou nenhum esforço ou habilidade: herdeiros ricos, vencedores da lotaria, participantes de *reality shows*, cómicos sem talento, de tal forma que não sabemos mais quais os nossos verdadeiros valores. As nossas vidas e relacionamentos parecem bem prosaicos em comparação com estes destinos fora do comum.

Se os nossos ícones culturais têm defeitos, os nossos dirigentes políticos já não nos fazem sonhar. O nível de inteligência e de integridade daqueles que elegemos para servir o nosso país é em geral pouco impressionante. De facto, por vezes parece que, no nosso sistema político, as pessoas seleccionadas para governar são reconhecíveis por um ego sobredimensionado e um apetite de poder que se sobrepõe ao seu professo interesse pelo bem-estar dos seus concidadãos.

Ao invés de recearmos estas ameaças reais ao nosso bem-estar, deixamo-nos persuadir com facilidade de que o verdadeiro perigo reside num país distante cheio de pessoas que nos querem fazer mal. Somos facilmente manipulados pelos nossos medos e levados a acreditar que os problemas entre humanos se resolvem pelas armas. Como o carpinteiro cuja única ferramenta é um martelo, todos os problemas nos parecem um prego.

Embora seja uma experiência desagradável, o medo pode salvar-nos do pior. Para tal é preciso ser capaz de identificar aquilo que nos ameaça verdadeiramente e dispor de informações exactas que saberemos utilizar bem. Se o nosso governo nos engana ou se as nossas fontes de informação (a comunicação social) têm interesse em manter-nos em pânico, não admira que passemos o tempo a preocupar-nos com perigos improváveis, como a contaminação do nosso correio, e que negligenciemos riscos reais, como o aquecimento global.

O mesmo se passa na nossa vida privada. Somos movidos em simultâneo pelo medo e pelo desejo. Muito do que fazemos é motivado pelo medo do fracasso. Tomemos como exemplo a busca da riqueza material. Ela é indispensável para impulsionar a nossa economia e melhorar o nosso nível de vida. Mas esse esforço não dá grande significado à nossa existência e somos impedidos de gozar a vida e de dar mais importância às nossas relações pessoais e às nossas actividades de lazer. Devemos ter sempre presente que ninguém, no seu leito de morte, se arrepende de não ter passado mais tempo no escritório; isso ajudar-nos-á a melhor orientar as nossas vidas.

O nosso comportamento é guiado por uma combinação de ganância e de espírito de competição. O empresário bem-sucedido é o modelo a seguir. Donald Trump é um ícone cultural. O êxito nos negócios parece ser uma confirmação do conceito darwiniano da sobrevivência do mais forte. O valor do trabalho não se mede pela sua utilidade mas pela riqueza que gera.

Apesar da sua eficácia a curto prazo, o medo não permite obter uma mudança duradoura. Servirmo-nos dele como motor é negligenciar que não existe desejo mais forte do que querer ser feliz e respeitarmo-nos a nós próprios. Se a nossa sociedade faz o que pode para avançar nesta direcção, proporcionando educação às pessoas, melhores empregos, a oportunidade de melhorar a própria vida, uma maior justiça e perspectivas de futuro, a alegria sedutora e efémera fornecida pela droga irá perder a sua atracção. Em matéria de toxicodependência, privilegiar a repressão da «oferta» não deu frutos. Reduzir a procura ao dar prioridade ao tratamento dos toxicodependentes e apresentar soluções sociais para o seu desespero são o único meio de ganhar esta batalha entre prazer e satisfação duradoura. Os nossos medos estão ligados ao facto de nos sabermos vulneráveis — a infelicidade pode bater-nos à porta a qualquer momento — e mortais — temos a certeza de que um dia vamos morrer. Tanto melhor se a religião, ao prometer-nos a vida eterna, trouxer conforto e sentido à nossa existência. Mas mesmo os cépticos podem aprender a saborear os momentos de prazer das suas breves vidas. A negação não leva a nada; pelo contrário, é preciso armarmo-nos de coragem e recusarmos ser invadidos pelo medo do futuro ou pelo arrependimento do passado que nos impede de desfrutar o momento presente.

26

Os pais não têm grande poder,
excepto para o pior

Na universidade que a minha filha frequenta, no fim de cada ano lectivo, os jovens diplomados exibem no jornal universitário uma fotografia deles em bebé com breves comentários de cada um dos pais. Quase todos esses comentários dizem mais ou menos a mesma coisa: «Estamos muito orgulhosos de ti.» O sentimento parece bastante natural em tal momento, mas tenho a impressão de que esse orgulho deixa transparecer uma certa satisfação de nós próprios e do excelente trabalho que fizemos enquanto pais. Apropriamo-nos de uma boa parte do êxito merecido pelos nossos filhos.

Isto chamou-me a atenção porque, no meu trabalho, vejo o reverso da medalha: pais cujos filhos não vão *nada* bem, que consomem droga, que estão em apuros com a lei ou noutra situação desagradável. Estes pais são assolados pela culpa («O que fizemos de errado?»). Os problemas dos filhos reflectem-se negativamente nos seus esforços. É raro ver um autocolante num pára-choques onde se lê: O MEU FILHO ESTÁ NUMA CURA DE DESINTOXICAÇÃO.

Imaginar que somos apenas, ou mesmo principalmente, responsáveis pelos êxitos e pelos fracassos dos nossos filhos é uma atitude narcisista. É óbvio que os pais que abusam dos filhos física, psicológica ou sexualmente podem provocar-lhes danos graves e duradouros. Não deve deduzir-se, no entanto, que os pais que cumprem a sua obrigação de amar os filhos e proporcionar-lhes um ambiente estável e estimulante para crescerem são responsáveis pelo resultado dos seus esforços.

Como indivíduos autónomos, os nossos filhos são bem-sucedidos ou fracassam principalmente por causa das decisões, boas e más, que tomam na vida. Os pais podem tentar inculcar-lhes os valores e os comportamentos que *consideram* bons, mas é a forma como vivemos enquanto adultos que transmite aos nossos filhos aquilo por que nos regemos. Só eles decidem se optam por integrar esses valores nas suas vidas.

As crianças farejam de longe a hipocrisia. A popularidade de *Uma Agulha no Palheiro* entre os adolescentes atesta isso. Se existem contradições flagrantes entre o que dizemos e o que fazemos, as crianças vão provavelmente reagir com cinismo, mas, enquanto seres humanos independentes, é a eles que cabe a responsabilidade de integrarem na sua vida aquilo que viram ou aprenderam na infância.

A ansiedade é contagiosa. As crianças sentem-na nos pais e são afectadas por ela. Isso começa numa idade em que não possuem palavras para exprimir as suas emoções e as que sentem nas pessoas à sua volta. Para muitos pais, a chegada do primeiro filho complica frequentemente a vida e traz bastantes incertezas. O cansaço físico, especialmente a mudança de ritmo de sono, pesa. É natural perguntarem-se constantemente se estão a «fazer bem». Saber para quem se virarem não é evidente: as fontes de informação e de apoio são de qualidade variável. Os avós não têm forçosamente coisas a transmitir e os inúmeros livros sobre o assunto contêm frequentemente conselhos contraditórios (por exemplo, o debate sempre actual sobre o facto de pegar ou não no bebé ao colo quando ele chora).

Um dos principais desacordos entre os especialistas diz respeito ao tema da «disciplina», e, como muitas das nossas convicções, a tese que defendemos tem implicações políticas. A óptica conservadora parte de um pressuposto: intrinsecamente egocêntricas, as crianças precisam de ser «socializadas» através da instauração de limites rigorosos e de punições quando transgridem. Educar torna-se uma perpétua relação de forças na qual os pais devem sair vencedores e na qual é legítimo utilizarem as suas vantagens no plano psicológico e físico para garantir a vitória.

Muitos conselhos giram em torno da aprendizagem da delicadeza e da obediência: por que meios os pais podem preservar a tranquilidade da vida familiar face às crianças que, na sua ânsia, têm apenas uma ideia na cabeça: divertirem-se e terem prazer? Tal perspectiva da educação é, naturalmente, uma emanação do conceito fundamentalista segundo o qual a humanidade é pecadora e só pode ser contida pela estrita imposição de proibições.

Em alternativa (e há muitas), os pais podem adoptar um ponto de vista menos rígido, mais optimista, ou seja, que ao receber o amor e apoio, quase todas as crianças se tornam adultos felizes e produtivos, independentemente de forma como foram educadas. Esta abordagem mais descontraída tenta estabelecer limites razoáveis para o comportamento das crianças e provoca menos conflitos e ressentimentos. Tem-se plena consciência de que o êxito da educação parental não depende da certeza de ter razão ou de ter todas as respostas. Os castigos corporais são de banir, uma vez que aquilo que ensinam é, acima de tudo, o medo e a violência.

Observei uma coisa essencial na minha carreira: pode educar-se uma criança sejam quais forem os princípios educativos escolhidos — e o espectro é grande, desde os métodos autoritários aos mais permissivos. O importante é que as crianças se sintam amadas e respeitadas. É fundamental que os pais estabeleçam limites, especialmente em torno de questões de segurança e agressividade. Ao mesmo tempo, os conflitos mais comuns e mais debilitantes no seio das famílias que conduzem a lutas de poder destrutivas nasceram do desejo de controlo obsessivo dos pais e da impressão de que os seus conselhos e a sua orientação são a única coisa entre os filhos e uma vida de crime. Quando os pais estão preocupados com questões sem importância, como o consumo alimentar e a limpeza do quarto, estas serão arenas de conflitos intermináveis.

Quem já passou tempo nos aeroportos ou nos transportes públicos apercebeu-se dos inconvenientes do grande laxismo parental em relação a crianças turbulentas. O problema é como fazer compreender a uma criança que não está sozinha no mundo e que tem de respeitar os outros sem utilizar a ameaça ou a intimidação, que, em última instância, a induzem a uma resistência passiva sem diminuir a sua agressividade.

Tal como muitos outros aspectos da vida, o perigo encontra-se nos extremos. Podemos assim imaginar um espectro com, de um lado, a forma autoritária e, do outro, a permissiva, mas que, na verdade, se parece mais com um círculo: as crianças muito vigiadas nas suas famílias não colocam nenhum limite a si próprias, uma vez que estão habituadas a obedecer apenas às regras vindas do exterior. Inversamente, crescer sem um mínimo de disciplina não permite ter orientações necessárias para viver à vontade com os outros.

Para além de cuidar do bem-estar físico e emocional dos filhos, a principal tarefa dos pais é mostrar-lhes que o mundo, embora imperfeito, é um lugar onde é possível ser-se feliz. Isto só se transmite através do exemplo. Os nossos belos discursos não têm nenhum peso ao lado daquilo que os nossos filhos nos vêem fazer.

Então quando os pais, convencidos da sua grande influência no futuro dos seus filhos, me perguntam «O que posso fazer para garantir que esta criança cresça bem?» ficam muitas vezes surpreendidos com a minha resposta: «Pouca coisa, mas talvez discutir menos e tentar não controlar todas as decisões dela faça toda a gente mais feliz agora.»

A histeria colectiva que os raptos de crianças provoca é um exemplo claro de como os pais transmitem os seus piores terrores. Apesar de afectarem menos de duzentas crianças por ano nos Estados Unidos, a publicidade em torno do assunto atrai os pais em massa sempre que há uma acção sobre «segurança infantil» no centro comercial da zona. Normalmente isto envolve precauções como a recolha de impressões digitais e de fotografias das crianças. Se as crianças perguntarem para que é aquilo, os pais são pressionados a responder com franqueza: «para podermos identificar o teu corpo se fores raptado!». Será que pensamos que as crianças não conseguem sentir o nosso medo? Enquanto isso, três mil e quatrocentas crianças morrem anualmente em acidentes de viação e mais de três mil são mortas por armas de fogo.

É infinitamente desencorajador encontrar o pessimismo nas pessoas jovens. Elas decidiram cedo que a vida não lhes reserva nada de bom. Onde é que aprenderam isso? Normalmente, não foi a ler o jornal.

Quando as pessoas desejam defender os seus pontos de vista cínicos, raramente lhes faltam exemplos. Não é difícil quando se analisa a vida ou o mundo à nossa volta convencermo-nos de que está tudo a ir por água abaixo. As más notícias são intrinsecamente mais interessantes do que as boas e, por isso, somos diariamente inundados por histórias de tragédias, de caos e de exemplos que mostram até onde pode ir a depravação humana. Por vezes, parece surpreendente não estarmos todos clinicamente deprimidos (em vez de apenas quinze a vinte por cento da população americana).

Como pode alguém ser feliz num mundo assim? Uma boa dose de desprendimento pode ser salutar, mas o verdadeiro segredo é sermos selectivos naquilo a que dedicamos a nossa atenção. Se optarmos por nos concentrar nas coisas e nas pessoas que nos dão prazer e satisfação, temos boas hipóteses de ser felizes num mundo cheio de infelicidade. O que há de verdadeiramente maravilhoso na condição humana, e ao mesmo tempo bastante encorajador, é a nossa capacidade de saborear a vida, sabendo que a qualquer momento ela pode terminar e que um desastre é sempre possível.

Ter a capacidade de fazer isso, de sermos felizes uns com os outros, é o exemplo mais útil que podemos dar aos nossos filhos. Ter sentido de humor também pode ajudar.

27

Só há paraísos perdidos

A nostalgia de um passado que idealizámos é bastante comum e geralmente inofensiva. No entanto, as recordações podem não nos ajudar a aceitar o presente. Quando as pessoas evocam, com lágrimas nos olhos, os bons velhos tempos, é quase sempre a lamentar o presente e a imaginar o futuro com pessimismo.

Nas nossas recordações, a vida era menos cara, a delinquência menos elevada, as pessoas mais simpáticas e dignas de confiança, as uniões mais duradouras, a família mais unida, as crianças mais respeitadoras, a música melhor. Os meus pais conheceram a Grande Depressão. A falência do seu banco engoliu todas as suas poupanças, e atravessaram a década de 1930 com grandes dificuldades. No entanto, já na velhice, até esta época de provação adquiriu um tom romântico quando evocavam a entreajuda entre vizinhos face à adversidade comum. Opunham-na ao egoísmo que viam à sua volta no mundo moderno.

As coisas não eram realmente muito melhores antigamente. Não havia menos guerras e genocídios que hoje em dia. As crianças morriam regularmente de doenças infecciosas. A criminalidade e a pobreza eram generalizadas. Mantidas as devidas proporções, nenhum período da História da humanidade se distinguiu pelas virtudes que nele reinaram.

Quando tentamos assumir o nosso passado, as nossas vidas parecem um período de perpétuo desencanto. Lamentamos a despreocupação da nossa juventude que nos fazia acreditar até nas nossas ilusões. Recordamo-nos do ardor perdido dos primeiros amores. Queremos esquecer os nossos erros e as suas consequências, os compromissos com a nossa consciência, as vias que não devíamos ter seguido. O fardo da nossa existência imperfeita é mais difícil de suportar quando o corpo e o espírito enfraquecem. No nosso desejo de voltar atrás, retemos apenas as recordações do tempo em que éramos jovens.

Há alguns anos, fui ao funeral de um colega, um bom médico e uma pessoa admirável, de uma grande sensibilidade. Uma das pessoas que tomou a palavra evocou o seu «maravilhoso sentido de humor». Virei-me para um amigo sentado ao meu lado e perguntei: «O John tinha sentido de humor?» Se era o caso, eu nunca me apercebera de nada ao longos dos anos em que o conhecera, e perguntei-me se essa qualidade desejável podia ser concedida a título póstumo, como uma medalha a um soldado tombado com honra.

Sempre que vou ao funeral de alguém que conheci bem, a imagem que é retratada no elogio fúnebre nunca deixa de me surpreender. A imperfeição humana da pessoa desaparece sempre, sendo substituída por um retrato idealizado que pretende confortar-nos, mas que depura apenas a vida do falecido. Conhecer bem uma pessoa e amá-la apesar, e até devido, das suas imperfeições só é possível se soubermos aceitar as pessoas como são e perdoar: dois importantes indicadores da nossa maturidade emocional. Mais importante ainda, se podemos fazer isso pelos outros, podemos fazê-lo por nós próprios.

Ser humano, é ser falível e ter dúvidas. O desafio permanente com que somos confrontados não é o de procurar a perfeição em nós e nos outros, mas encontrar formas de sermos felizes num mundo imperfeito. Isto é ainda mais difícil se nos agarramos a uma visão idealizada do passado que garante a nossa insatisfação com o presente.

A memória não é, como muitos pensamos, a transcrição exacta de uma experiência passada. Pelo contrário, é uma história que contamos ou que moldamos à nossa maneira, cheia de ilusões e de desejos tomados como realidade. Qualquer pessoa que tenha participado numa reunião de antigos alunos do secundário ou da universidade pode constatar que a memória opera de forma diferente em cada um de nós. Senão, como poderíamos ter recordações tão diferentes de acontecimentos partilhados? A resposta é simples: aquilo de que nos lembramos e o modo como nos lembramos depende do significado que damos a esses acontecimentos. A isso se junta a nossa vontade de dar coerência à história da nossa vida, fazendo concordar a imagem que temos de nós com aquela que somos ou que desejaríamos ser.

Ouço muitas vezes as pessoas admirarem-se com a divergência das suas recordações de infância quando as evocam entre irmãos. Até as pessoas criadas na mesma casa pelos mesmos pais têm frequentemente lembranças diferentes daquilo que viveram. Uma lembra-se da violência, enquanto a outra a nega. Estas discordâncias fazem muitas vezes nascer frustrações e ressentimentos entre as pessoas envolvidas, embora se devam apenas ao facto de as pessoas não se verem hoje como eram no passado e que, ao percorrerem de novo o caminho, reescreveram a história.

Não nos agrada pôr em causa a nossa mitologia pessoal. Pais distantes ou abusadores, mães controladoras, conflitos conjugais e divórcios, todos desempenharam o seu papel. Integrámos completamente a ideia de que o nosso destino é modelado pelas nossas experiências de infância. Há um cartaz que mostra um auditório quase vazio com uma bandeira no fundo onde se lê: CRIANÇAS ADULTAS DE FAMÍLIAS NORMAIS.

Inversamente, também ouço belas histórias de crescimento que soam a reposições de *Beaver, o Trapalhão*. Nestas versões do passado, os pais foram amorosos e atenciosos quase sem nunca terem levantado a voz entre eles ou com os filhos. O meu cepticismo profissional em relação a estas histórias é muitas vezes recebido com animosidade, como se eu estivesse a roubar algo valioso.

Os doentes invocam igualmente relações íntimas que correram mal para justificarem o facto de agora só entregarem o seu coração com cautela e desconfiança. As recordações mais destrutivas são talvez aquelas sobre «aquele que fugiu». Muita gente guarda de uma pessoa uma recordação cheia de nostalgia e arrependimento; todas as relações que se seguiram não se podem comparar a ela. Pode tratar-se de um dos pais, de um primeiro amor ou de um amigo. A sua perfeição, como a de um elogio fúnebre, é uma função da memória selectiva que já não pode ser testada pelo contacto diário. O ser idealizado existe numa espécie de sonho com o qual hoje as pessoas nas nossas vidas não podem rivalizar.

Sentirmo-nos nostálgicos em relação ao passado tem um defeito: distrai-nos dos nossos esforços de tirar prazer e sentido do presente. Por outro lado, essa nostalgia transmite às pessoas que nos rodeiam, e que não tiveram o privilégio de partilhar a nossa juventude dourada, o sentimento de que o mundo que habitamos é de menor qualidade e que não tem esperança de melhoria. À medida que as nossas forças declinam e nos tornamos cada vez mais dependentes da gentileza e da solicitude dos outros, este discurso parece perfeitamente inapropriado.

Os jovens sentem muitas vezes pelos idosos um misto de obrigação, desdém e medo. «É isto o que devo esperar?», perguntam-se. «Irei passar o tempo a queixar-me da minha saúde e a lamentar os bons velhos tempos?» Já é suficientemente difícil aceitar ser mortal sem ter de suportar a depressão tão frequente na velhice. «A boa notícia é que a esperança de vida está a aumentar; a má é que os anos suplementares são adicionados no fim e não no início.»

Quem de entre nós nunca se surpreendeu, quando encontrou alguém do passado, ao constatar até que ponto a nossa recordação dessa pessoa é diferente da imagem actual? Isto não está apenas ligado, como somos inclinados a imaginar, à forma como as pessoas mudam com o tempo. Passa-se a mesma coisa quando visitamos uma casa onde vivemos em crianças, ficamos espantados como ela parece muito mais pequena. Fomos nós, evidentemente, que crescemos.

Quando Russell Baker submeteu a um editor a primeira versão das suas memórias, *Growing Up*, este rejeitou o manuscrito por considerá-lo pouco interessante. Baker disse então à mulher: «Vou lá para cima inventar a história da minha vida.» O resultado foi um *best-seller* — e não menos verdadeiro que a versão original. Cada um de nós é livre de interpretar os acontecimentos da sua vida como entende. Podemos idealizar ou denegrir os personagens que nela desempenharam um

112

papel. As duas opções são possíveis segundo a necessidade do momento e a forma como vemos as coisas. Constatamos que somos capazes de embelezar ou desfear o nosso passado.

Se não somos capazes de ter uma percepção clara do passado, reconheçamos pelo menos que explorar uma versão idealizada é apenas uma outra forma de sabotar o presente. Quando, chegados à idade madura, sentimos que a probabilidade de atingirmos a perfeição terrena ou a felicidade completa é pequena, resta-nos aceitar e apreciar o que fizemos com as nossas vidas. Ou podemos ansiar por uma época mais simples, quando tudo parecia possível e a esperança era mais forte do que a nossa experiência limitada. É este estado de optimismo inocente que desejamos recuperar, mesmo quando vemos reduzir o tempo e as oportunidades.

Somos atormentados por tudo aquilo que não pudemos realizar, em particular as oportunidades perdidas de conhecer o amor perfeito. Com a idade, os nossos corpos traem-nos e as nossas ideias esclerosam-se ao ponto de se tornarem preconceitos calcificados. Desta posição pouco invejável olhamos para trás, para o tempo divino da nossa juventude, onde, quando imaginávamos o futuro, o possível tinha mais peso que o provável. É esta capacidade que mais falta nos faz. O motivo por que as nossas recordações envenenam a esse ponto o nosso presente é para nós um mistério.

Então, qual é a melhor forma de recuperar a esperança quando o crepúsculo das nossas vidas não cessa de se aproximar? Podemos abraçar a religião que nos promete a imortalidade e o reencontro com aqueles que perdemos. Ou podemos contentar-nos em ser agnósticos e preferir não saber de antemão aquilo que nos espera, tentando simplesmente dar um sentido à nossa incessante agitação nesta terra: viver e morrer, sonhar e desesperar, aceitar com o coração destroçado o mistério das orações sem resposta.

28

Coragem, vamos rir!

Refutando o conceito de ambivalência inerente a todos os sentimentos humanos, a maior parte das pessoas aceita mal entreter duas emoções ao mesmo tempo. Para dar um exemplo, um dos antídotos clássicos para a ansiedade é o relaxamento muscular profundo. Os ansiosos que aprenderam a relaxar os seus músculos podem servir-se disso para se livrarem de sintomas como a transpiração, a taquicardia, a hiperventilação a sensação de fatalidade, todos eles na origem de um ataque de pânico.

É interessante perguntar aos depressivos quando foi a última vez que riram com gosto. É ainda mais instrutivo pedir às pessoas que lhes são chegadas que tentem recordar-se da última vez que os viram divertir-se. As respostas que obtenho geralmente contam-se em meses, e até anos.

E então? O que torna o riso importante nas nossas vidas? Algumas pessoas consideram o humor uma arte menor, que nos distancia de um assunto sério, o de viver, embora ele seja justamente um dos melhores indicadores da nossa arte de viver. Mesmo um depressivo, quando lhe perguntamos se tem sentido de humor, responde quase invariavelmente que sim. (Pela mesma ordem de ideias, toda a gente se considera um bom condutor, apesar das numerosas provas em contrário.) Se um paciente reivindica um sentido de humor num tom particularmente severo, peço-lhe para me contar uma piada. Sei que, para muitos, isto é um pedido injusto, porque prestar atenção às coisas engraçadas não é para todos, e ainda menos lembrar-se delas. Muitos dos meus interlocutores ficam sem resposta. Então sou eu que *lhes* conto uma piada, como aquela que foi eleita «a mais divertida história do mundo» num *site* britânico:

Dois caçadores de Nova Jérsia caminham numa floresta. De repente, um deles cai e deixa de respirar. O outro pega no telemóvel e liga para o 112. «O meu amigo morreu!», diz ele à operadora. Ela responde: «Calma, eu posso ajudá-lo. Primeiro precisa de ter a certeza de que ele está morto.» Faz-se silêncio e ela ouve um tiro. O homem regressa à linha. «Está feito. E agora?»

Obtenho reacções bastante diversas. Muitos pacientes estão tão desabituados de acharem graça a alguma coisa que perderam a capacidade de se surpreenderem, o que é a essência do humor. Outros não estão simplesmente preparados para a ideia de um psiquiatra tentar fazê-los rir. Às vezes dou como tarefa àqueles que parecem estar numa fase terminal de apatia encontrarem uma história engraçada para a sessão seguinte.

Tudo isto pode parecer trivial ao lado dos abismos de desespero e de ansiedade que levam as pessoas à terapia. Mas o humor exerce sobre nós um verdadeiro poder: a nossa capacidade de rir é uma das duas características que nos distinguem dos outros animais. A outra, tanto quanto sabemos, é a capacidade de contemplar a nossa própria morte. Existe uma ligação entre estes dois atributos exclusivamente humanos que está no centro do grande paradoxo da vida: *Ser mortal não impede a felicidade*. O que nos permite aspirar a esta felicidade não é apenas uma «negação saudável». De certa maneira, toda a forma de humor tem por alvo a condição humana. Rir de nós próprios é reconhecer a futilidade dos nossos esforços para atrasar os estragos de tempo. Como o caçador de Nova Jérsia, estamos sob a influência de forças que não podemos controlar, inclusive, muitas vezes, a nossa própria estupidez; contudo, não desistimos.

Ser capaz de suportar a tristeza e o absurdo que a vida tantas vezes nos impõe e ainda encontrar motivos para perseverar é um acto de coragem estimulado pela nossa capacidade de amar e de rir. Para suportar a incerteza que sentimos face às grandes questões da existência temos de cultivar a capacidade para experimentar momentos de prazer. Nesse sentido, todo o humor é «humor negro», uma gargalhada diante da morte.

As virtudes terapêuticas do humor são evidentes. Vítima de uma doença que escapava a todos os diagnósticos e por conseguinte desmoralizante, Norman Cousins dedicou um livro a contar como se curou sozinho com o auxílio de velhos filmes dos irmãos Marx. O riso provoca alterações químicas no interior do nosso organismo que têm um efeito salutar; podemos classificá-las entre os benefícios bem conhecidos de uma atitude optimista e tónica. A interacção corpo-mente está no cerne de todas as teorias sobre os meios de facilitar intelectual e psicologicamente uma recuperação. Muito antes do advento da medicina moderna, curandeiros de todas as espécies apoiavam-se na disposição mental dos doentes para os curar. A eficácia desta abordagem não suscita dúvidas. As pessoas continuam a ir a Lourdes e o monte de muletas e cadeiras de rodas à entrada da gruta atesta o poder da fé.

O que não encontramos lá, evidentemente, são os membros artificiais. Há limites para os «milagres». O que parece produzir-se é uma forma de acelerar a cicatrização com base na crença do doente de que Deus irá devolver-lhe a saúde. Os resultados são em geral suficientemente milagrosos.

O humor também é uma forma de partilha, uma prática social. Rir com alguém é uma forma de afirmar que estamos todos no mesmo barco. O mar rodeia-nos; o salvamento é incerto; o controlo da situação é ilusório. Contudo, perseveramos, juntos.

Recebi há pouco um paciente com a mulher. «Ele já não se ri», queixou-se ela. O homem concordou: «Perdi o sentido de humor.» Tinham feito recentemente uma viagem e ela perdera a carteira e os cartões de crédito. «Aconteceu a mesma coisa à minha mulher», disse eu. «Roubaram-lhe os cartões de crédito. Mas eu ainda não comuniquei ao banco porque o ladrão gasta menos do que ela.» O homem riu-se. A minha mulher, quando lhe contei a história, não se riu.

Os pessimistas, como os hipocondríacos, têm razão a longo prazo. Ninguém sai daqui vivo. Mas como qualquer atitude, o pessimismo contém um grande número de profecias que se realizam a elas próprias. Se abordamos alguém com desconfiança ou hostilidade, a pessoa irá provavelmente reagir em conformidade, o que confirmará que não esperávamos grande coisa desse encontro. Felizmente, o inverso é igualmente verdadeiro. Como acontece com qualquer regra, há excepções, e as pessoas não se comportam forçosamente connosco como nós nos comportámos com elas. Se é verdade que o optimismo pode não nos proteger de desilusões ocasionais, o pessimismo habitual é um parente próximo do desespero.

Costumamos sorrir quando encontramos as pessoas pela primeira vez. Exprimimos assim mais do que simpatia. Sorrir é um sinal de «bom humor», de reconhecimento da piada que faz parte da nossa condição humana comum: *não é por a situação ser grave que deve ser desesperada.*

29

A saúde mental é a afirmação
de uma escolha

Todas as formas de distúrbio emocional são uma limitação para a pessoa que delas padece. A depressão, a ansiedade, a psicose maníaco-depressiva ou a esquizofrenia impedem-na de funcionar livremente em sociedade e exigem um ajustamento constante do comportamento para estar socialmente adaptada.

Vítimas de uma depressão, a nossa falta de energia, a nossa incapacidade de nos concentrarmos e as nossas ideias negras afastam-nos das pessoas e das actividades que anteriormente nos davam prazer. A nossa aptidão no trabalho fica comprometida e, em casos extremos, podemos perder a nossa vontade de viver. Um excesso de ansiedade resulta geralmente em comportamentos diferentes para reduzir a inquietação e o nervosismo que nos dominam. No caso de problemas mentais graves, como a psicose maníaco-depressiva ou a esquizofrenia, a perda de contacto com a realidade impede uma livre imersão no mundo.

Todas as doenças que mencionei têm uma base biológica, razão pela qual a medicação é geralmente eficaz. Porém, na medida em que afectam o nosso funcionamento e as nossas relações com os outros, convém também tratá-las do ponto de vista comportamental. A pessoa invadida pela angústia de forma crónica deve demonstrar uma grande determinação para enfrentar os seus medos e para não se deixar dominar por eles. Ter essa coragem resume-se nesta regra fundamental: *evitar que a ansiedade se agrave; enfrentá-la permite uma melhoria gradual.*

No caso da depressão, a alteração desejada implica ultrapassar a nossa inércia e a nossa fadiga para nos dedicarmos a actividades que têm todas as possibilidades de remediar o nosso estado. Isso seria pedir muito a alguém que está desencorajado, pessimista e se sente inútil.

Mesmo as pessoas cuja compreensão da realidade é imperfeita têm normalmente momentos de lucidez. Contam com os benefícios do seu tratamento medicamentoso para as ajudar a viver uma vida tão normal quanto possível. Uma pessoa que sofra de uma doença mental crónica precisa de um apoio familiar forte e informado. As mais belas lições de amor que recebi no decurso de meu trabalho foram-me dadas pelos pais, pelos cônjuges e pelos filhos de pessoas que sofrem de Alzheimer, de esquizofrenia ou de deficiências. A maioria das medalhas concedidas aos heróis recompensa actos de coragem limitados no tempo. Aqueles que, todos os dias, cuidam de um ente querido com uma deficiência só raras vezes são oficialmente reconhecidos, mas, na minha opinião, ganharam o seu lugar no Paraíso.

Estive recentemente numa conferência onde um orador, ao reflectir sobre os fardos das doenças crónicas, mencionou uma associação de apoio a pessoas com deficiências que, na sua opinião, era especialmente útil. Fez uma pausa, tentando lembrar-se do nome da associação. Foi então que a voz de um homem numa cadeira de rodas se fez ouvir no auditório:

— Ainda... não estou... morto!

— Sim — respondeu o orador —, é isso!

A determinação deste homem dá-nos uma lição. Não se trata simplesmente de medir a sorte que temos, comparada com a dele, mas de ter consciência de que há pessoas cujos fardos são maiores que os nossos. Viver é perder. A nossa forma de reagir às perdas é aquilo que nos define. No seio da associação de que faço parte, que reúne famílias que perderam filhos, os pais relatam que, frequentemente, pessoas bem-intencionadas lhes dizem: «Não sei como aguentas, eu não sei se conseguiria.» Este comentário, que pretende ser um elogio, é de uma ironia amarga para os pais enlutados. Que escolha temos? Devemos morrer e abandonar aqueles que ainda dependem de nós? De muitas maneiras, a nossa morte seria preferível à perspectiva de uma vida sem a pessoa que perdemos, mas este alívio é-nos negado e suportamos a nossa sorte sem baixar os braços.

A saúde mental empenha o nosso livre-arbítrio. Quanto mais escolhas somos capazes de fazer, mais possibilidades temos de ser felizes. Aqueles que estão deprimidos sentem-se diminuídos às vezes por causa de circunstâncias exteriores ou de doença, na maioria das vezes pela queda dos vários limites que impõem a si próprios. A principal variável a este respeito é o risco que nos permitimos correr. Se a nossa capacidade de sermos felizes reside unicamente no medo, em especial no nosso medo de mudar, podemos dizer adeus à felicidade. Será a ansiedade ou a falta de imaginação que nos limita?

Há sempre uma escolha, mesmo nas circunstâncias mais desesperadas. É isto, mais do que qualquer outra coisa, o material da psicoterapia: partilhar os sofrimentos de outra pessoa sem ceder ao desespero, transmitindo sempre a convicção de que nem tudo está perdido. Ainda não estamos mortos.

30

Perdoar é fazermo-nos bem

A vida pode ser vista como uma sucessão de renúncias; repetimos incansavelmente o último acto antes de abandonarmos o nosso eu terreno. Então porque é tão difícil renunciar ao passado? As nossas lembranças, boas e más, dão-nos uma sensação de continuidade e ligam as muitas pessoas que fomos àquela que habita temporariamente o nosso corpo em mudança.

O conjunto dos hábitos e dos comportamentos que nos torna únicos funciona como uma espécie de giroscópio, conferindo às nossas reacções uma previsibilidade que é boa tanto para nós como para aqueles que procuram conhecer-nos. Os nossos «eus» antigos também podem servir como uma espécie de âncora, conferindo estabilidade ao mesmo tempo que às vezes inibem a adaptação a situações novas.

Raramente tivemos uma infância ideal. É fácil usarmos os traumas passados para explicar que a nossa vida não é aquilo que queríamos. Viver no passado impede-nos de mudar e torna-nos inerentemente pessimistas.

É verdade, é impossível compreender quem somos sem prestarmos atenção à história das nossas vidas. É por esta razão que uma psicoterapia que quiser ser útil se apoia no passado. Existe um ponto de equilíbrio entre ignorar o passado e ficar preso nele; depois de o encontrarmos, podemos aprender com aquilo que nos aconteceu, incluindo com os inevitáveis erros que cometemos, e servir-nos deste conhecimento para os nossos projectos futuros. Inevitavelmente, isto exige que saibamos perdoar, ou seja, renunciar às nossas queixas, mesmo que sejam perfeitamente justificadas.

Correntemente confundido com esquecimento ou com reconciliação, o perdão não é nem uma coisa nem outra. Não é algo que fazemos para os outros; é um dom que concedemos a nós próprios. Como toda a cura verdadeira, é um acto de amor e de justiça.

Reconhecer que fomos prejudicados por outra pessoa mas escolher renunciar ao nosso ressentimento ou ao nosso desejo de vingança é uma prova de grande maturidade afectiva e moral. É uma forma de nos libertarmos de uma sensação de opressão e de acreditar numa possível evolução. Libertarmo-nos das nossas antigas formas de pensar e de interpretar torna-nos mais livres para abordar o presente e o futuro. Ao agirmos com esta liberdade de consciência e esta determinação, fazemos desaparecer a ansiedade e a sensação de impotência que acompanha sempre os períodos em que nos sentimos infelizes.

Quando choramos as pessoas que perdemos, a dor que suportamos e os sentimentos que nos assaltam são determinantes para enfrentarmos o futuro. O desafio é manter a esperança.

Muitas pessoas decidem dar à sua esperança um significado religioso. A ideia de que a mão de um Deus misericordioso lhes mostra o caminho, com a promessa de uma vida eterna, é um grande conforto para muitos crentes e responde à questão universal, a de todo o destino humano, que se formula simplesmente assim: «Porquê eu?» A religião permite assim suportar o lado absurdo e imprevisível de toda a perda importante ao conferir um objectivo a tudo o que acontece na vida. Somos assim aliviados da dura tarefa de compreender, basta-nos aceitar que os desígnios de Deus são insondáveis e, em última análise, benevolentes.

Aqueles que, como eu, não podem ou não querem abandonar o seu cepticismo e não se contentam com respostas fáceis para as grandes questões da existência, devem aceitar viver com as suas dúvidas. Não temos o conforto do discurso religioso e devemos lutar para encontrar um certo sentido na vida sem o auxílio de uma crença que exija a adoração de uma divindade criadora e fornecedora de regras, que, se seguidas, vencerão a morte, o nosso destino comum.

Uma certa forma de perdão põe um ponto final no luto. O meu filho de seis anos morreu de complicações de um transplante de medula óssea tentada para curar a sua leucemia. Eu era o dador. Resignar-me à sua morte — não aceitar, não fazer o luto, e certamente não esquecer — tem sido um exercício de perdão: perdoar os médicos que recomendaram a operação, e perdoar-me a mim que não o pude salvar.

Quando rezei pela sua vida foi um acto de desespero alimentado pela esperança de que a religião em que tinha sido educado pudesse ainda salvar aquilo que me era mais precioso. Quando ele morreu, vítima de uma mutação celular que não podíamos prever, num corpo de resto em perfeita saúde, fiquei com a convicção de que um deus capaz de deixar fazer uma tal coisa não merecia que me interessasse por ele nem mais um momento. Invejo aqueles que conseguem manter a sua fé depois de sofrerem uma perda semelhante, que conseguem ver nela um significado. Eu não consigo. Mas ainda espero reencontrar a alma do meu filho. Que tipo de agnóstico sou?

Carregamos todos nas nossas memórias o peso das feridas, das rejeições ou das injustiças. Às vezes temos de nos agarrar a estas queixas com determinação a ponto de ficarmos completamente obcecados com as pessoas ou as instituições que consideramos responsáveis pela nossa infelicidade.

Vivemos num ambiente cultural onde o sentimento de termos sido injustiçados está omnipresente. Poder acusar o outro do nosso menor infortúnio alivia-nos na difícil tarefa de examinar a nossa própria conduta e a nossa parte de responsabilidade. Assim, evitamos também ter de aceitar que a vida está cheia de adversidades e sempre esteve. No entanto, ao colocarmos a culpa fora de nós, perdemos o consolo que advém do facto de sabermos que aquilo que nos acontece está longe de ser tão importante como a atitude que adoptamos em resposta.

Há alguns anos, parado na fila de um elevador de uma pista de esqui, fui atropelado por uma moto da neve que vinha a grande velocidade sem condutor. Os meus ferimentos, embora temporariamente incapacitantes, não foram permanentes, e considerei o incidente como um exemplo dos perigos imprevisíveis da existência. Não consegui convencer-me de que pedir uma indemnização faria progredir a causa da segurança na montanha. Os responsáveis da pista pediram desculpa, tive direito a *forfaits* gratuitos e as coisas ficaram assim. Saí dali com uma boa história para contar e com um novo respeito pelo poder dos grandes engenhos a motor.

Pense nas vexações, nos insultos, nas admoestações e, mais importante, nos sonhos inatingidos que fazem parte da vida. Veja como as nossas relações mais íntimas fazem nascer as recriminações e as contas da farmácia. Para a maioria de nós, acalentar velhas feridas distrai da questão essencial: o que fazer *agora* para melhorar as nossas vidas?

O passado é para muita gente como um filme, sempre divertido e muitas vezes doloroso, um filme que nunca acabam de passar. Ele contém todas as explicações, toda a infelicidade, todos os dramas que os fizeram aquilo que são hoje. Que possa ser também, quando o confrontam com versões de outras testemunhas da história, em grande parte produto da sua imaginação não desvirtua o seu poder de atracção. E com que fim? Não podemos agora mudar as partes que queríamos que fossem diferentes, a injustiça, os feridos. Que interesse há em explorar a nossa indignação e ser infeliz? Temos alternativa?

Reconciliar-se com o passado é obrigatoriamente um processo de perdão, de renúncia — o mais simples e o mais difícil de todos os empreendimentos humanos. É simultaneamente um acto de vontade e de submissão. E parece muitas vezes impossível até ao momento em que é feito.

Para levar um paciente a reflectir, peço-lhe muitas vezes que escreva o seu epitáfio. Ter de resumir a sua vida em poucas palavras deixa inevitavelmente perplexos os meus interlocutores e suscita muitas vezes respostas cheias de humor e de autocrítica. Citemos algumas: «Leu muitas revistas», «Ela começou devagar, depois meteu a marcha atrás», «Eu bem disse que estava doente!» e «Ainda bem que acabou». Peço-lhes que vão mais longe e eles põem-se a enumerar os aspectos da sua vida de que estão orgulhosos, os seus papéis como pais, cônjuges, pessoas de fé.

Penso sinceramente que a redacção de um testamento deveria ser incluída neste exercício. Porque não sugerir que, no momento em que contempla a sua morte, o testador acrescente um parágrafo que diga: «E para o meu epitáfio gostaria do seguinte...?» Perguntam-me às vezes qual é que eu escolheria para o meu. Digo-lhes que gosto das palavras de Raymond Carver:

> *E obteve aquilo que*
> *queria desta vida, mesmo assim?*
> *Sim.*
> *E o que queria?*
> *Poder considerar-me amado, sentir-me*
> *amado na Terra.*